La arteriosclerosis

Emilio Salas

La arteriosclerosis

*Cúrese
usted
mismo*

Ediciones Martínez Roca, S. A.

© 1982, Ediciones Martínez Roca, S. A.
  Gran Vía, 774, 7.º - 08013 Barcelona
ISBN: 84-270-0753-1
Depósito Legal: B. 45504 - 1989
Impreso por Libergraf, S. A., Constitució, 19, 08014 Barcelona

Impreso en España - Printed in Spain

Introducción

Somos los primeros en reconocer los prodigiosos descubrimientos de la medicina alopática, que diariamente salva a millares de vidas humanas. Aquí, un agotado anciano afectado por una pulmonía y al que sólo los antibióticos lograrán conservar entre los suyos; allá, un niño mordido por un perro rabioso, al que únicamente el suero antirrábico podrá evitar la más espantosa de las muertes... Esta medicina de urgencia hace maravillas y, al menos actualmente, en nuestra vida «civilizada» y antinatural, es absolutamente necesaria e irreemplazable.

Pero existen casos en que las cosas no se presentan tan halagüeñas, y todos somos conscientes de ello; ocurre principalmente en las enfermedades crónicas. Puede tratarse de una mujer atormentada por un eccema, cansada de gastar toda clase de ungüentos y pomadas sin que su eccema desaparezca; o quizá se trate de un obrero casi imposibilitado por una artrosis, y que a pesar de los antiinflamatorios más modernos sigue cada vez peor...

Es precisamente en este terreno, el de las enfermedades crónicas, donde una higiene y medicina naturales —de ahí la denominación de *naturoterapia*— realizan verdaderos prodigios.

La naturoterapia no pretende sustituir por completo a la medicina alopática, ni mucho menos; sin embargo, se considera indispensable en el tratamiento de las enfermedades crónicas —así como de muchas otras que no lo son—, reservando a la medicina alopática su verdadero papel: el de una medicina de urgencia para quienes no saben o no pueden vivir de acuerdo con las leyes de la naturaleza.

La naturoterapia es una medicina eterna; en todos los tiempos y países los hombres han utilizado para su curación los alimentos, las plantas, el agua, los masajes, etc. Pero además, la higiene naturoterápica, al aumentar en alto grado la salud, es capaz de transformar nuestra vida, haciéndonos prácticamente inmunes a la enfermedad. Es la única y verdadera medicina preventiva en toda la extensión de la palabra.

No obstante, la curación es mucho más que un tratamiento o una dieta: es algo que atañe a todo el conjunto de la personalidad; una nueva forma de vivir. Si bien en las páginas que siguen hemos procurado explicar todo cuanto puede ayudar al control de la arteriosclerosis y sus consecuencias, deseamos que el lector tenga siempre presente que uno de los factores esenciales para la salud es la actitud mental que adoptemos: quien no emprenda la conquista de la propia salud con la plena confianza de lograrlo, de hecho, se declara vencido antes de empezar la lucha.

Mas también tenemos presente que esta actitud positiva sólo puede existir cuando el paciente sabe y comprende con toda claridad lo que hace y por qué lo hace; por eso, aun a riesgo de resultar pesados e incurrir en numerosas repeticiones, hemos procurado que nuestras explicaciones sean lo más completas posible, a la vez que sencillas y comprensibles.

Por todo ello, desearíamos que antes de empezar ningún tratamiento o dieta el lector leyese repetida y atentamente cuanto aquí exponemos, pues además de las meras palabras se requiere una íntima comprensión del fin propuesto y el porqué de cada paso.

Una vez comprendida la tendencia fundamental del tratamiento, éste debe iniciarse de inmediato, sin esperar no obstante mejorías espectaculares ni resultados milagrosos, aunque sí con la seguridad de que al observar los progresos conseguidos en el debido intervalo de tiempo, éstos nos darán la mejor medida de la bondad del camino emprendido. El alivio espiritual que acompaña al hecho de saber que los sacrificios no han sido en vano será apreciado en su justa medida, convirtiéndose en un aliciente más para proseguir con renovado optimismo la tarea emprendida.

1

Las arterias

Es bien conocido que en la natural evolución de la vida llegamos a una etapa, denominada vejez, en la que disminuyen progresivamente las capacidades de nuestros órganos, hasta el momento en que el organismo, incapaz de mantener el normal cumplimiento de sus funciones, se colapsa, sobreviniendo la muerte.

Existe una opinión muy generalizada según la cual todos los trastornos de carácter degenerativo que se producen en la vejez son consecuencia de la misma, y que por lo tanto, además de irreversibles, son inevitables.

Sin embargo, modernamente se ha comprobado que son muchas las personas que alcanzan edades muy avanzadas sin padecer artritis ni arteriosclerosis —por citar las enfermedades más comunes de la vejez—, mientras que, por el contrario, dichos trastornos son cada vez más frecuentes en los jóvenes.

La conclusión lógica sólo puede ser la de que dichos trastornos funcionales no son una consecuencia de la edad, sino que se trata de verdaderos síntomas de enfermedad, y que por lo tanto debemos saber distinguir las dolencias naturales de la vejez de las patológicas.

La arteriosclerosis

Lo que acabamos de decir se hace patente con la máxima claridad en la arteriosclerosis. En efecto, el estudio de gran cantidad de fallecidos por accidente y en la última gran guerra ha demostrado que en las personsas de edades muy avanzadas, pero en perfecto estado de salud, las paredes arteriales son más gruesas de lo normal y han perdido parte de su elasticidad, mas no aparecen depósitos de sustancias extrañas ni la fragilidad característica de la arteriosclerosis.

Por el contrario, al realizar la autopsia de personas muertas en las primeras décadas de la vida con frecuencia se aprecian estrías grasas en sus paredes arteriales. Por lo general, dichas estrías van acentuándose conforme avanza la edad, y a los cuarenta años aproximadamente se han desarrollado de tal forma que lesionan de manera irreversible la pared interna de las arterias; por otro lado, se van incrustando en ellas toda una serie de calcificaciones y de elementos de la propia sangre, hasta el punto de que empiezan a constituir un obstáculo para la perfecta circulación de la sangre.

Todo ello da lugar a una serie de manifestaciones cuya sintomatología puede ser muy variada, según cuál sea la localización de las arterias afectadas, pero que constituyen lo que se ha dado en llamar arteriosclerosis.

Hoy en día existen aparatos muy perfeccionados que permiten conseguir un diagnóstico exacto y precoz de las primeras lesiones arteriales. Gracias a ellos se ha podido comprobar que las primeras estrías grasientas que aparecen son perfectamente reversibles, es decir susceptibles de curación, mientras que cuando se presentan lesiones acompañadas de calcificaciones y cambios en la estructura de las paredes arteriales, la situación es totalmente irreversible, lo que no impide que sea posible detener el avance del deterioro si se toman las medidas oportunas.

La misión de las arterias

Si queremos comprender el mecanismo y las consecuencias de la arteriosclerosis, es imprescindible tener presente que las arterias son algo más que simples tubos por cuyo interior circula la sangre. Debemos recordar que se trata de órganos vivos constituidos por tejidos, y que sus células constituyentes —como las de cualquier otro órgano del cuerpo— necesitan alimentarse y eliminar sus sustancias de desecho. En otras palabras, también ellas deben ser generosamente irrigadas por la sangre; cuando eso no ocurre, cualquiera que sea la causa, perecen.

Mas no se limitan a transportar la sangre, sino que además la distribuyen (y con ella el oxígeno y los alimentos) hasta los últimos rincones del cuerpo. Y eso durante toda la vida, día y noche, sin un momento de descanso.

Para conseguirlo regulan la aportación sanguínea aumentando o disminuyendo su calibre interno según las necesidades de cada caso concreto. Es decir, si un órgano o un músculo trabajan intensamente, las arterias que a ellos afluyen se dilatan, aportando mayor cantidad de sangre para atender a sus mayores necesidades. Por el contrario, cuando descansan, las arterias se estrechan y les suministran menor cantidad de sangre.

Si tenemos en cuenta que el corazón lanza e impulsa al interior de las arterias de cuatro a cinco litros de sangre cada minuto de nuestra vida, un simple cálculo nos dirá que las arterias deben transportar y distribuir cada día de seis mil a siete mil litros de sangre, con lo que podemos hacernos cargo del enorme trabajo que realizan y de que de su perfecta conservación y elasticidad depende la salud de todo el organismo.

Sin embargo, aún debemos añadir otra circunstancia: todas las sustancias tóxicas y microorganismos patógenos que penetran en nuestro organismo deben pasar forzosamente por nuestras arterias antes de lograr diseminarse por el resto del cuerpo. Y ésa es la causa —junto con el desgaste motivado por su enorme trabajo— de que las arterias sean las primeras en sufrir las consecuencias de nuestros malos hábitos, en especial los relacionados con la alimentación. Y la más importante de estas consecuencias la constituyen las lesiones arterioscleróticas, a pesar de que por su lento desarrollo no suelen hacerse patentes hasta edad relativamente avanzada.

Estructura de las arterias

Para poder realizar su trabajo, las arterias necesitan ser de constitución muy robusta. Sus paredes se componen esencialmente de tres capas concéntricas o *túnicas*, que según su situación relativa se denominan túnica interna o íntima, túnica media y túnica externa o adventicia. La túnica íntima es de naturaleza endotelial, es decir constituida por grandes células planas, mientras que la túnica media es musculoelástica y la adventicia de tejido conjuntivo.

Estas tres túnicas, cada una con sus elementos propios, se encuentran presentes en todas las arterias, pero el espesor y la distribución de sus elementos constitutivos varían según el volumen de las mismas, por lo que se ha dividido a las arterias en tres grupos principales según su calibre.

1. *Las arteriolas*, innumerables y de reducido calibre (de 0,05 milímetros a 1 milímetro), son las que se hallan en el interior de los órganos, y están constituidas casi exclusivamente por la túnica media, de tejido muscular contráctil, pudiendo dilatarse o contraerse según se requiera. Por consiguiente, son las que verdaderamente regulan la circulación sanguínea local.

2. *Las arterias de calibre medio o arterias de tipo muscular*, como las de piernas y brazos, coronarias, cerebrales, etc., así como sus derivaciones, se caracterizan porque en su túnica media los elementos contráctiles constituidos por fibras musculares lisas alcanzan un desarrollo considerable, mientras que las formaciones elásticas son relativamente reducidas. Eso les permite desempeñar un papel esencial en la regulación del flujo y la presión de la sangre con destino a los órganos del cuerpo.

Su túnica íntima, en contacto directo con la sangre, es muy delgada

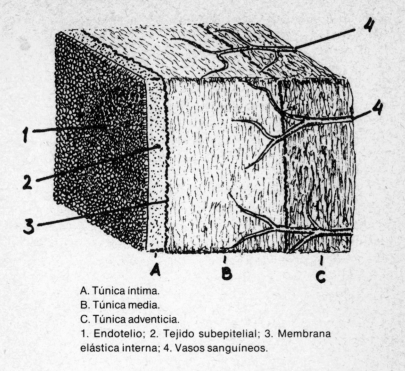

A. Túnica íntima.
B. Túnica media.
C. Túnica adventicia.
1. Endotelio; 2. Tejido subepitelial; 3. Membrana elástica interna; 4. Vasos sanguíneos.

1. Estructura de una arteria.

(aproximadamente unas 0,2 micras, o sea 0,0002 milímetros) y está constituida por grandes células planas epiteliales tapizadas por una capa de tejido conjuntivo subepitelial, y separada de la túnica media por una membrana elástica interna.

La túnica media, muy gruesa, se halla constituida por fascículos de fibras musculares lisas, entre las cuales se encuentran delgadas hojas elásticas. En su tercio interno se nutre gracias a los elementos de la sangre que se filtran a través de la túnica íntima, y en los otros dos tercios, por los capilares que penetran en la misma procedentes de la túnica adventicia.

Esta última constituye la envoltura externa de carácter fibroso que recubre a las anteriores, y por la misma circulan los vasos sanguíneos que alimentan a las paredes arteriales, así como las terminaciones nerviosas de los nervios sensitivos.

3. *Las grandes arterias o arterias de tipo elástico*, como la aorta, las carótidas, etc., presentan como rasgo esencial el predominio de las formaciones elásticas sobre las musculares, lo que les concede un gran poder para absorber la onda pulsante sanguínea.

Su túnica íntima está constituida de modo similar a la de las arterias de tipo muscular, si bien la capa subepitelial es más desarrollada, presentando fibras y hojas elásticas, lo que le confiere un aspecto estriado.

La túnica media está formada por hojas elásticas muy desarrolladas, que constituyen verdaderas membranas dispuestas concéntricamente y encajadas las unas en las otras. También existen fibras musculares, pero mucho menos numerosas que en las arterias de calibre medio, y tienen la forma de células ramificadas que se extienden entre las hojas elásticas.

La túnica adventicia es semejante a la de las arterias de tipo muscular.

2

Alteraciones de las arterias

Tanto en el lenguaje común como en el lenguaje médico, se suele englobar bajo el nombre genérico de arteriosclerosis (que significa endurecimiento de las arterias) a todas las alteraciones que pueden tener lugar en la estructura de las arterias, tanto si se trata de las naturales, debidas al envejecimiento, como de las patológicas.

Ello ocasiona tal confusión que carece prácticamente de significado limitarse a decir que alguien padece arteriosclerosis si no se aclara de qué modalidad se trata, pues la importancia de la misma puede oscilar desde la prácticamente nula de la arteriosclerosis senil hasta la verdaderamente grave de la aterosclerosis.

Por consiguiente, nuestra primera tarea consistirá en definir todos aquellos trastornos que se engloban bajo esta denominación común y que son los siguientes: arteriosclerosis senil, arteriolosclerosis, mediacalcosis y aterosclerosis.

La arteriosclerosis senil

Con el transcurso de los años, y al igual que el resto del organismo, las arterias sufren una serie de modificaciones que van disminuyendo su capacidad de trabajo, sin que por ello debamos considerarlas patológicas, ya que aparte de las naturales limitaciones que comportan son de carácter general y sin riesgo para la vida, pues con arteriosclerosis senil se puede vivir perfectamente hasta más allá de los cien años.

A pesar de que estas modificaciones que podemos considerar como propias de la edad afectan a todo el mundo, pueden presentarse más o menos precozmente y también de manera más o menos acusada según la naturaleza constitucional de cada persona y la importancia de las agresiones del medio ambiente en que se desarrolla la existencia.

Pasemos a describirlas agrupándolas según la túnica arterial en que se producen.

1. *En la túnica íntima.* Ya hemos indicado que esta túnica es extremadamente delgada, por lo que en su origen se halla virtualmente constituida por el endotelio, mientras que el tejido subepitelial es casi inexistente.

Ahora bien, desde los primeros años de vida este tejido subepitelial se va engrosando paulatinamente debido a la aparición de fibras elásticas y musculares lisas —lo que ocurre a partir de la primera infancia en la aorta y las coronarias—, las cuales van incrementándose hasta aproximadamente los treinta años de edad.

Se supone que este proceso no es más que una reacción de las arterias ante el aumento del caudal y de la presión sanguíneas durante la infancia y la juventud.

También a partir de los tres años en la aorta, y los quince en las coronarias, empiezan a aparecer gruesas células cargadas de sustancias grasas (lípidos) que se van acumulando entre las túnicas íntima y media, dando lugar a la formación de unas estrías grasientas (estrías lipídicas juveniles) que a pesar de su aspecto y composición son normales hasta alrededor de los veinte años, pero que a partir de dicha edad hay que procurar no confundir con las capas lipídicas de la aterosclerosis, aun cuando se sospecha que en algunos casos pueden tener algo que ver con la génesis de estas últimas.

2. *En la túnica media.* Mucho más adelante, entre los cincuenta y los sesenta años, las fibras elásticas de la túnica media de las grandes arterias empiezan a cargarse de lípidos y sales de calcio, hasta que a partir de los setenta u ochenta años dichas fibras elásticas van siendo sustituidas progresivamente por rígido tejido fibroso.

Asimismo, en las arterias de calibre medio y aproximadamente por las mismas edades también se produce la sustitución de las fibras musculares por este tejido fibroso.

Aun cuando resulte obvio, queremos aclarar que las edades que vamos indicando no deben tomarse en sentido literal, por tratarse de promedios estadísticos; por lo tanto, en cada caso particular pueden variar dentro de unos límites relativamente amplios.

3. *En la túnica adventicia.* El fenómeno de sustitución de tejidos útiles por tejido fibroso que hemos descrito para la túnica media de las arterias también tiene lugar en la túnica adventicia, si bien en menor grado. Curiosamente, en las arterias cerebrales ocurre todo lo contrario, es decir que la fibrosis es mayor en la túnica adventicia que en la media.

Como es natural, este proceso de fibrosis conduce inexorablemente a una disminución de las cualidades específicas de ambos tipos de arterias, o sea de la elasticidad de las grandes arterias y de la capacidad reguladora de la circulación sanguínea en las de mediano calibre.

Desde un punto de vista químico, puede decirse que a los ochenta años se ha duplicado el contenido en lípidos de las paredes arteriales y se ha triplicado o cuadruplicado el contenido en calcio, mientras que al mismo tiempo tiene lugar una disminución similar de su contenido en agua.

Cabe señalar, sin embargo, que a pesar de todos estos procesos la disminución del calibre interno de las arterias es relativamente pequeña y no constituye un verdadero peligro para la normal circulación de la sangre.

Por otra parte, es un hecho significativo que la arteriosclerosis senil coexiste muchas veces con la aterosclerosis, si bien manteniéndose claramente diferenciada de ésta, y lo único que cabe preguntarse es en qué medida la arteriosclerosis ha podido favorecer la aparición de la aterosclerosis.

La arteriolosclerosis

Se distingue de la arteriosclerosis senil, más que por el mecanismo de su instauración, del que se conoce muy poco, por su distinta localización. Mientras que la arteriosclerosis senil se localiza exclusivamente en las arterias de grande y mediano calibre, la arteriolosclerosis, como su nombre indica, lo hace únicamente en las arteriolas o arterias de pequeño calibre, y consiste en un depósito de sustancias colágenas y glucoproteicas que reducen el diámetro útil de las arteriolas y con él la cantidad y la capacidad de regulación del caudal sanguíneo que circula por las mismas.

Las consecuencias también son distintas, ya que dicha reducción del calibre útil obliga al corazón a incrementar notablemente su trabajo, y por lo tanto conduce de modo inexorable a la hipertensión, con todas sus complicaciones.

Por dicho motivo, al ser la hipertensión una de las causas frecuentes de aterosclerosis, muchas veces esta última se presenta asociada a la arteriolosclerosis, en especial si existe hipertensión o diabetes.

La mediacalcosis

Consiste en una calcificación difusa de la túnica media de las grandes y medianas arterias, que no llega a perturbar la normal circulación de la sangre. Se distingue fácilmente de la arteriosclerosis senil y de la aterosclerosis, aunque puede ir asociada a esta última en personas de edad avanzada o cuando se padece de diabetes.

La aterosclerosis

La aterosclerosis (del griego *athera*, papilla, y *scleros*, duro) puede decirse que es el más importante y verdadero trastorno patológico de la estructura de las arterias, hasta el punto de que cuando se habla de arteriosclerosis, sin especificar modalidad, debe sobreentenderse que se trata de aterosclerosis, o al menos que en la serie de lesiones concomitantes que se presentan son las aterosclerosas las que predominan.

Por dicho motivo, también nosotros a partir del próximo capítulo, y siempre que no sea necesario resaltar una distinción de lesiones, acataremos la norma internacional y emplearemos el término genérico de *arteriosclerosis* en el sentido indicado, aunque primero hayamos diferenciado claramente sus diversas modalidades para una mejor comprensión.

También los términos *ateroma*, *ateromatosis* y *papilla ateromatosa* son sinónimos de aterosclerosis, si bien implicando un predominio de acumulaciones lipídicas blandas.

Así pues, la aterosclerosis consiste en una acumulación local de lípidos, elementos de la sangre, depósitos calcáreos y tejidos fibrosos que destruyen prácticamente la túnica íntima y la limitante elástica interna, al mismo tiempo que se producen importantes modificaciones en la estructura de la túnica media.

Las lesiones ateroscleróticas

Las primeras formas que adoptan las lesiones ateroscleróticas todavía son objeto de discusión entre los investigadores, pero por lo general se acepta que se presentan en dos aspectos diferenciados:

1. La capa o estría lipídica aterosclerosa, muy parecida a la estría lipídica juvenil pero que se diferencia de la misma por ser de aparición mucho más tardía, por la presencia en la misma de células lipófagas destruidas que liberan sustancias grasas ricas en oleato de

colesterol y por existir una reacción conjuntiva de carácter inflamatorio.

2. La placa fibrosa, muy similar al engrosamiento del tejido subepitelial de la túnica íntima —que hemos considerado como normal en la juventud—, del que se distingue, empero, por localizarse en forma de un abultamiento duro de la túnica íntima, así como por su tendencia a proliferar.

También existe mucha disparidad de opiniones en torno a cómo se forman estas primeras lesiones, siendo hoy en día dos las hipótesis más aceptadas. La primera sostiene que todo se inicia con una ligera lesión de la túnica íntima, en la cual se depositarían las plaquetas de la sangre, que se coagularía para taponar dicha lesión. Luego, se iría produciendo la infiltración de materias grasas en la pared arterial, desembocando el proceso en las lesiones primarias que hemos descrito.

La segunda hipótesis, mayoritariamente aceptada en la actualidad (aunque al igual que la anterior no demostrada todavía), supone que todo se inicia cuando las grasas presentes en la sangre son empujadas al interior de la pared arterial por la presión sanguínea, desde donde normalmente son conducidas hasta la linfa.

No obstante, cuando dichas grasas son especialmente abundantes, o se hallan formadas por moléculas excesivamente grandes, o la pared arterial está alterada de alguna manera, las grasas no pueden salir, quedando incluidas entre las túnicas íntima y media. Entonces, las enzimas existentes en las paredes arteriales proceden a desdoblar sus complejas moléculas en colesterol y ácidos grasos.

Los ácidos grasos irritan las paredes arteriales, las cuales reaccionan mediante un proceso inflamatorio que da lugar a la formación de tejido conjuntivo esclerosante, que provoca el endurecimiento de la pared vascular.

Ahora bien, durante este proceso se van formando nuevos vasos sanguíneos de ínfimo calibre en el interior de la pared vascular, vasos que pueden romperse fácilmente incrementando el proceso inflamatorio, llegando incluso a intensificar bruscamente la obstrucción de la arteria si la hemorragia producida es de cierta importancia.

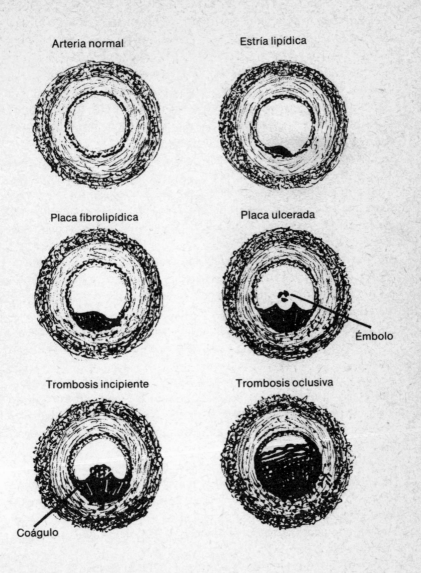

Arteria normal

Estría lipídica

Placa fibrolipídica

Placa ulcerada

Émbolo

Trombosis incipiente

Trombosis oclusiva

Coágulo

2. Evolución de la aterosclerosis.

Entre tanto, continúa la penetración y acumulación de grasas, de manera que estos dos tipos de lesiones primarias van aumentando y engrosando la pared arterial, llegándose a la formación de las placas fibrolipídicas que sobresalen notablemente de la pared arterial estrechando su calibre. Dicha placa es de color gris amarillento y de consistencia tan dura que chirría bajo el cincel, estando constituida por una cascarilla fibrosa que contiene en su interior la papilla ateromatosa, rica en lípidos y colesterol.

Esta evolución es muy lenta e irregular, y se considera que desde las lesiones primarias a la placa fibrolipídica se tardan de diez a veinte años. También se supone que dicha evolución no es lineal, sino que se produce por etapas en cada una de las cuales algunas lesiones se estabilizan —e incluso remiten—, mientras que otras siguen evolucionando.

Puede decirse que existe una alternancia de fases de estabilización y de progresión, las cuales parecen formar parte de un conjunto de factores, tanto locales como generales, que por su complejidad todavía no han podido ser bien analizados.

En esta evolución las lesiones van diversificándose cada vez más, pero en líneas generales el proceso más frecuente podría ser el siguiente:

La placa fibrolipídica se ulcera, dando lugar a la formación de un cráter en el que se fijan las plaquetas de la sangre, formando un coágulo con el que se inicia una trombosis oclusiva que mediante la formación de capas sucesivas irá cerrando el paso de la sangre por el interior de la arteria (véase fig. 2).

Por otra parte, al ulcerarse la placa y formarse el cráter, pueden desprenderse del mismo algunas porciones de la papilla ateromatosa, produciéndose un émbolo que, llevado por la corriente sanguínea, puede llegar a obstruir alguna arteria de menor calibre, provocando una embolia de consecuencias más o menos graves según la región regada por dicha arteria.

Una variante también muy frecuente la constituye la calcificación de la placa en forma de «cáscara de huevo», de muy fácil fractura y causante en este caso de una embolia calcárea, accidente imprevisible que sobreviene al moverse la arteria en el caso de una intervención quirúrgica, por ejemplo, o a causa de un choque, ya sea externo, o interno por una brusca subida de la presión arterial.

En algunas zonas puede producirse un reblandecimiento degenerativo que transforma la túnica íntima en una masa blanda y untuosa que se disgrega, ulcerándose. La consecuencia de este reblandecimiento es la formación de rugosidades y concavidades que la presión de la sangre va dilatando, hasta el extremo de que en algunos casos esta dilatación llega a adquirir cierta importancia, en cuyo caso se denomina *aneurisma*.

Desgraciadamente, la aterosclerosis es una enfermedad traidora, hasta el punto de que ha sido denominada «la enfermedad iceberg», por no manifestarse externamente más que en un cinco o diez por ciento de las personas afectadas, ya que la lenta oclusión de una arteria no comporta una reducción lo suficientemente notable de su flujo sanguíneo como para dar lugar a los agudos dolores que caracterizan la falta de oxígeno en los lugares afectados, hasta que su calibre interno es menor del 80 % del original. No es de extrañar, pues, que sean innumerables las personas aparentemente sanas que en realidad ya arrastran lesiones aterosleróticas muy extensas y graves, sin que a pesar de ello muestren síntomas externos.

Síntomas aparentes

La principal consecuencia de la aterosclerosis es la incapacitación de las arterias perjudicadas para adaptar su aportación de sangre a las necesidades exactas de cada órgano, y tanto el exceso como la insuficiencia de la misma son siempre perjudiciales, pues si bien un exceso de flujo sanguíneo congestiona al órgano afectado, su defecto le causa una anemia o debilitación que no le permite cumplir como es debido sus funciones normales.

Por todo lo dicho, resulta imposible describir todos los síntomas de la aterosclerosis; además, debemos tener en cuenta que cada persona es un caso distinto y que la mayoría de los trastornos funcionales que aparecen a partir de cierta edad pueden ser consecuencia de la misma. Por lo tanto, a los síntomas propios de la aterosclerosis se superpondrán los causados por la alteración del órgano o los órganos afectados en cada caso concreto.

Así pues, ahora describiremos tan sólo aquellos síntomas que acostumbran a presentarse en todos los casos avanzados de aterosclerosis, dejando para más adelante el estudio de la sintomatología característica de los distintos órganos o regiones afectadas.

Por otra parte, no suele ser posible ni conveniente que sea el propio enfermo quien diagnostique su enfermedad, y lo que importa fundamentalmente es que una vez establecido el diagnóstico por el médico se aplique el adecuado tratamiento naturoterápico.

A pesar de estas reservas, y para no dejar incompleto nuestro trabajo, expondremos a continuación los principales síntomas visibles.

Lo primero que llama la atención en el aterosclerótico es su piel seca y rugosa, sus músculos fláccidos y sus arterias superficiales tortuosamente alargadas, prominentes, duras y pulsantes, sobre todo en las sienes y antebrazos.

El interesado es consciente de que su peso desciende progresivamente, mientras que cada día se halla más débil, física y mentalmente; cualquier esfuerzo le ocasiona un cansancio desproporcionado y, por lo general, son frecuentes los calambres dolorosos localizados, ya sea en el pecho, en el dorso o en las piernas. También el apetito se resiente, y las digestiones se hacen lentas y pesadas; son frecuentes los dolores de cabeza, el insomnio, los vértigos, las pérdidas momentáneas de la visión y los zumbidos de oídos.

Donde más se hacen notar las deficiencias circulatorias es en los puntos extremos del cuerpo, como las manos, los pies, la nariz y las orejas, donde la sensación de frío es casi constante. Además, las extremidades se adormecen con facilidad a poco que la postura sea incorrecta, con la peculiar sensación de hormigueo que suele acompañar.

También el carácter queda afectado, ya que la persona se vuelve irritable, deprimida e impaciente, o inestable, apática e indiferente, con pérdida tanto de memoria como de facultades intelectuales.

3

Localización de las lesiones

Afortunadamente, no todo el sistema arterial se ve afectado por la arteriosclerosis, e incluso en una misma arteria pueden existir segmentos sanos y segmentos enfermos, sugiriendo la localización de estos últimos que los factores mecánicos desempeñan un papel preponderante en la misma.

En efecto, en las bifurcaciones y en las curvas arteriales, en las que existen zonas de turbulencias y un relativo estancamiento de la

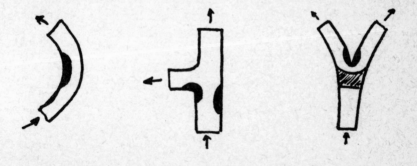

3. Localizaciones más frecuentes.

sangre, es donde se localizan por lo general la mayoría de las lesiones (véase la figura 3, en la cual hemos señalado en negro la localización más frecuente).

También en aquellas zonas sujetas a presiones o aquellas otras en las que las arterias deben circular por pasillos estrechos rígidos con pulsatividad arterial reducida, como por ejemplo en el canal de Hunter (en la arteria femoral), en la carótida intercraneal, en la zona de la aorta abdominal que fluye ceñida al raquis, etcétera.

Por último, y dado que cada vez que una arteria se divide para dar origen a ramas divergentes el calibre de estas últimas es menor que el de la arteria original, en las arterias de pequeño calibre esta disminución súbita de la luz arterial ocasiona el que generalmente queden atascados en dicho lugar los émbolos desprendidos de lesiones arterioscleróticas ulceradas, obstruyendo la circulación por dichos vasos y produciendo una embolia cuya importancia dependerá de la localización del vaso afectado.

También es evidente que no siempre se verán afectadas las mismas arterias, y que en cada enfermo tanto la localización como las alteraciones que se produzcan serán distintas. Con todo, el estudio de las arterias de personas fallecidas a edades superiores a los sesenta años ha demostrado que, si bien a dicha edad la extensión de la arteriosclerosis es muy desigual, existe sin embargo un orden estadístico de frecuencias en que las arterias se ven afectadas, y es el siguiente, de mayor a menor: aorta abdominal, arterias de las piernas, coronarias, vertebrales e intercraneales. A continuación vienen todas las demás, pero sin orden de preferencia.

También es curioso observar que en las arterias de tipo elástico, como la aorta, predominan las degeneraciones blandas, por lo que acostumbran a ulcerarse y dilatarse, mientras que en las de tipo muscular, como las coronarias, predominan los fenómenos de endurecimiento y calcificación.

El hecho de que se vean afectadas mayoritariamente las arterias de los miembros inferiores, las coronarias y las cerebrales es de gran importancia práctica a causa de las graves consecuencias que se producen. Vamos pues a estudiar estas importantes localizaciones.

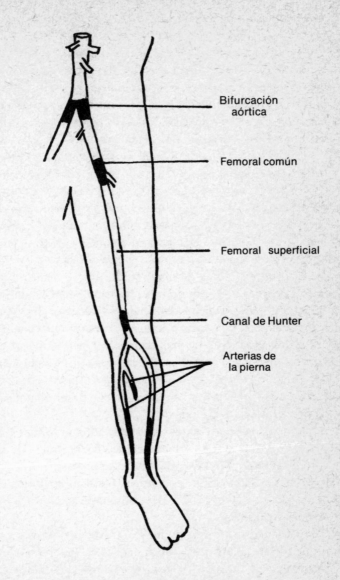

Bifurcación aórtica

Femoral común

Femoral superficial

Canal de Hunter

Arterias de la pierna

4. Arteriosclerosis de las piernas.
(Se han señalado en negro las zonas más afectadas.)

Arteriosclerosis de las piernas

A partir de los cuarenta o cuarenta y cinco años empiezan a hacer su aparición las primeras lesiones en la bifurcación aórtica, y poco después en las arterias femorales y el resto de las piernas; a partir de los cincuenta o cincuenta y cinco años empiezan a desarrollarse las placas fibrolipídicas, y los accidentes clínicos suelen sobrevenir entre los setenta y los ochenta años.

Las lesiones más abundantes se localizan en la arteria femoral superficial —ya sea en su origen o en el canal de Hunter— (en el 60 % de los casos), en la bifurcación aórtica (en el 20 % de los casos) y en las arterias de la pierna (en el restante 20 % de los casos), tanto en las personas de edad avanzada como en aquellas que padecen de diabetes. Dichas lesiones ocurren en ambas piernas en la mitad de los casos, y en una sola pierna en la otra mitad.

El primer síntoma de importancia que se presenta es la cojera intermitente, que consiste en la aparición de un calambre doloroso en la pantorrilla al andar, obligando a detenerse, con lo que se alivia rápidamente el dolor. Este síntoma no es sino una consecuencia de la fuerte reducción de la irrigación sanguínea producida a causa de la oclusión de las arterias, lo que ocasiona que los músculos, a pesar de poseer todavía suficiente irrigación en estado de descanso, carezcan en cambio de la misma cuando deben desarrollar algún trabajo, como la marcha, por ejemplo.

A veces, aunque raramente, puede adoptar formas muy engañosas, como si se tratara de una ciática acompañada de impotencia sexual, a causa de una oclusión de la bifurcación aórtica que llega a interesar a las arterias sexuales; o también en forma de dolores neurálgicos de la pierna o el pie, sobre todo en personas diabéticas o de edad avanzada.

El segundo síntoma, de mayor gravedad, consiste en una gran reducción de la circulación acompañada de dolores nocturnos y que puede llegar a ocasionar la gangrena del pie. Por lo general, basta el más pequeño traumatismo para ocasionar la ruptura de la piel, excesivamente débil, dando origen a una ulceración infectada que, como ya he dicho, en ocasiones puede evolucionar hasta la gangrena. El riesgo de amputación es relativamente pequeño, ya que tras diez años de evolución apenas alcanza el 8 o el 10 % de los casos, pero en cambio la supervivencia global de estos pacientes se reduce en un 20 % respecto a la media que corresponde a su edad.

La arteriosclerosis cerebral

Las primeras lesiones ya se hacen aparentes alrededor de los 35 o 40 años, a partir de cuya edad siguen evolucionando lentamente hasta los 75 u 80, siendo la carótida la arteria más afectada y localizándose las lesiones preferentemente en su origen (en un 60 % de los casos) y minoritariamente en su recorrido por el interior del cráneo (en el 40 % restante).

La arteria vertebral suele presentar estrechamientos en su origen o al pasar el raquis cerebral, tal como puede observarse en la figura 5, en la que hemos indicado en forma esquemática el recorrido de las arterias, señalando en negro las zonas en que suelen hallarse más afectadas.

También debe tenerse en cuenta que, tanto en las carótidas como en las vertebrales, el 40 % de las veces las lesiones son bilaterales, es decir que se hallan afectadas ambas carótidas o ambas vertebrales a la vez.

Afortunadamente, todas estas arterias se intercomunican en el polígono de Willis, situado en la base del cerebro, lo que permite la suplencia entre las carótidas y el tronco basilar, suplencia que permite superar con mayor o menor eficacia muchos de los problemas circulatorios que pueden presentarse.

Los mayores peligros consisten en el estrechamiento de la pared arterial o en la formación de algún émbolo a partir de una placa ulcerada, accidentes que suelen ocasionar el infarto cerebral acompañado de hemiplejía, en cuyo caso el tejido cerebral, de una extraordinaria fragilidad, resulta dañado al verse privado del riego sanguíneo, daño que será irreversible si la privación se prolonga algunas horas.

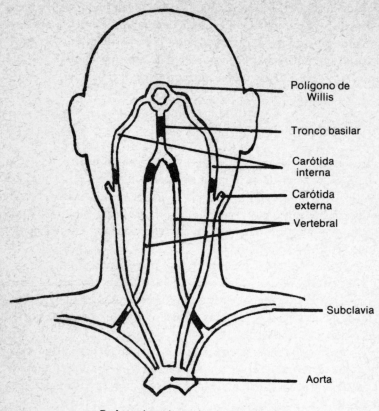

Polígono de Willis

Tronco basilar

Carótida interna

Carótida externa

Vertebral

Subclavia

Aorta

5. Arteriosclerosis de la cabeza.
(Se han señalado en negro las zonas en que mayoritariamente se producen las lesiones arterioscleróticas.)

La mortalidad suele ser bastante elevada en los inicios, ya que puede evaluarse en cerca del 25 % de los casos durante las primeras semanas, ya sea directamente a causa de la lesión, o por complicaciones pulmonares, renales o cardiacas, que suelen ser las habituales en personas de edad avanzada.

La recaída, que es mortal la mitad de las veces, suele ocurrirles a una tercera parte de los supervivientes, y la recuperación, que raras veces es total, suele dejar parálisis más o menos extensas y graves en la mitad de los casos.

Las trombosis del cuerpo basilar o de las arterias vertebrales rara vez son mortales, aun cuando dan lugar a síndromes complejos con perturbaciones del habla, de la vista o del equilibrio, pero generalmente el restablecimiento se produce más o menos rápidamente; eso sí, con riesgo de recaída en muchos casos.

Es muy importante tener en cuenta que el diagnóstico precoz de la arteriosclerosis cerebral es posible, y que además la mayoría de las veces se presentan pequeños accidentes transitorios (eclipses cerebrales) que, si se les presta atención, constituyen un aviso del peligro que se avecina.

Una perturbación motora, sensitiva o del habla, o una pérdida total o parcial de la visión de un ojo, indican que se está produciendo una obstrucción en la carótida, o que se ha desprendido un émbolo que ha quedado bloqueado en una arteriola, en la que será reabsorbido.

También, si bien con menor frecuencia, un mareo o una perturbación de la visión o de la marcha, subsiguientes a la rotación-extensión del cuello, traducen la existencia de un ateroma vertebral con compresión mecánica, o embolia.

Estas perturbaciones, súbitas y fugaces pero que suelen repetirse, deben ser suficientes para solicitar una arteriografía en la que se busque la posible existencia de una lesión que pueda ser alcanzada quirúrgicamente, con lo que se evitará un riesgo muy grave para la vida, pues se calcula que durante el año que sigue a la aparición de estos avisos se produce un 17 % de infartos cerebrales.

Otras localizaciones de la arteriosclerosis

Dejando aparte la arteriosclerosis de las coronarias, a la que dedicaremos el próximo capítulo debido a su excepcional importancia, debemos señalar que también suelen presentarse lesiones en la aorta torácica y en la abdominal, así como en sus ramificaciones.

En la aorta torácica pueden observarse lesiones a partir de los 45 o 50 años, lesiones que frecuentemente ya están calcificadas hacia los 60 años, pero que por lo general no suelen acarrear graves consecuencias. En cambio, es poco frecuente la trombosis del inicio de las ramas gruesas que parten de dicha arteria, y es realmente excepcional la arteriosclerosis de los miembros superiores.

En la aorta abdominal la aparición de las primeras estrías lipídicas es muy precoz, ya que acontece alrededor de los 10 o 15 años; a partir de ese instante evolucionan poco a poco, hasta que a los 40 ya se han formado las placas fibrolipídicas, principalmente en la cara posterior de la aorta lumbar, placas que evolucionarán lentamente hasta la calcificación o la ulceración. De todas maneras, su importancia clínica es mínima, excepto en los casos de tromboembolia o de aneurisma ateromatoso.

Las arterias renales y digestivas empiezan a verse afectadas a partir de los 45 o 50 años, principalmente en su origen, en la aorta, debiendo tomar en consideración esa posibilidad en los casos de hipertensión, en los que la arteriosclerosis renal puede tener bastante importancia.

Otro factor a tener en cuenta es que por lo general estas lesiones arterioscleróticas no suelen presentarse aisladas, y es frecuente que, tras un accidente en las extremidades inferiores, se produzca antes de cinco años otro accidente, esta vez de tipo coronario, o viceversa (suele suceder en un 30 % de los pacientes); no obstante, también puede producirse la secuencia: accidente cerebral, luego coronario y finalmente periférico, si bien con mucha menor frecuencia. Insistimos: siempre debe tenerse en cuenta la posibilidad de estas repeticiones con distinta localización, cosa que por el momento no parece ser objeto de suficiente atención.

Para finalizar, queremos aclarar que se suele englobar bajo el nombre genérico de *arteriosclerosis periférica* a todas las lesiones arterioscleradas localizadas en las extremidades, e incluso muchas veces bajo el impropio nombre de *arteritis*.

4

La arteriosclerosis coronaria

Si tenemos en cuenta que aproximadamente una cuarta parte de las muertes que se producen en el mundo occidental tienen su origen en la arteriosclerosis coronaria, comprenderemos por qué dicho trastorno se ha convertido en la más conocida —y tal vez la más temida— de todas las formas que puede revestir la arteriosclerosis.

También por ese motivo hemos decidido dedicarle mayor extensión que a las demás localizaciones arteriales, y al mismo tiempo aclarar, ante todo, que gran parte de dichas muertes se hubieran podido evitar —y todavía pueden evitarse muchas más—, de haber realizado un diagnóstico precoz de la insuficiencia coronaria.

Actualmente, es posible realizar dicho diagnóstico mediante las pruebas de esfuerzo controlado con electrocardiograma, y está más que comprobado que el riesgo de accidente coronario es cinco o seis veces más elevado en aquellas personas que poseen un *test* de esfuerzo anormal.

Tampoco cabe la menor duda de que, a pesar de la arteriosclerosis coronaria, si se sigue un régimen de vida adecuado y se toman las debidas precauciones, es posible alargar la vida hasta límites que parecen imposibles.

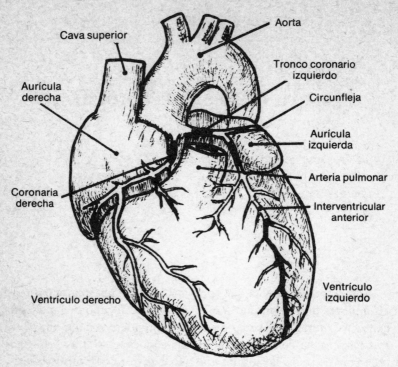

6. Arterias coronarias.
(Se han señalado en negro las zonas en que mayoritariamente se producen las lesiones arterioscleróticas.)

Las lesiones coronarias

Las lesiones de las arterias coronarias ya aparecen en la primera infancia, y estudios realizados con niños de corta edad fallecidos por muy diversas causas han revelado la presencia de dichas lesiones incluso en recién nacidos.

Sin embargo, en términos generales, es a partir de los 15 o 20 años cuando empieza a observarse un engrosamiento fibrolipídico de la capa subepitelial de la túnica íntima, engrosamiento que luego irá desarrollándose a lo largo de la existencia.

A los 25 o 30 años ya aparecen las placas fibrolipídicas y empiezan a estrechar la luz arterial; estas placas irán creciendo conforme avance la edad. Cerca del 75 % de los soldados norteamericanos muertos en la guerra de Corea, y cuya edad media era de unos 22 años, ya presentaban una placa fibrolipídica apreciable, y en un 10 % de los casos existía además un notable estrechamiento en una de las arterias coronarias.

En cuanto a la localización de las lesiones, puede decirse que se halla muy repartida, pero que más de la mitad de los casos tienen afectados los dos primeros centímetros de los troncos gruesos, con mayor frecuencia en la arteria interventricular anterior que en la derecha o en la circunfleja (véase fig. 6).

La angina de pecho

Se caracteriza por un profundo dolor, brusco y violento, que se localiza en la región cardiaca y que se irradia a la parte izquierda del cuello y a la parte interna del brazo izquierdo; la crisis surge bruscamente, sin síntomas que la anuncien excepto, algunas veces, una sensación de malestar general.

Cuando se desencadena este dolor constrictivo (y de ahí su nombre científico: *angor pectoris*, de angor = constricción) se produce una instintiva reacción de angustia vital, un sentimiento de muerte inminente que empuja al sujeto a quien acomete el ataque en plena calle a seguir caminando, en un desesperado anhelo de llegar a casa o a un lugar donde pueda ser auxiliado, lo que constituye un grave error, ya que el esfuerzo sostenido que ello representa puede convertir la crisis anginosa en un infarto, generalmente fulminante en estos casos a causa de la afectación total del corazón.

Simultáneamente, se originan toda una serie de síntomas concomitantes, que consisten en dificultad respiratoria, náuseas y a veces vómitos, palidez, sudoración fría y, en algunos casos, incluso un auténtico colapso circulatorio.

La crisis suele desaparecer en un tiempo variable, que puede oscilar desde algunos minutos hasta varias horas; una vez finalizado, el paciente vuelve a sus condiciones normales, como si nada hubiera ocurrido.

Sus causas

Vistos los síntomas que presenta la angina de pecho, lo primero que hay que preguntarse es cuáles pueden ser sus causas. Esta pregunta, que a simple vista parece ociosa al atribuirla a las lesiones arterioscleróticas que dificultan el paso de la sangre por las coronarias, queda plenamente justificada cuando al enumerar los síntomas caemos en la cuenta de que la rapidez y brusquedad con que se presenta la crisis no queda justificada con una lenta obstrucción arterial.

La observación ha permitido demostrar que dichas crisis siempre se producen por unos motivos desencadenantes muy concretos y constantes: un esfuerzo, una emoción violenta o un exceso de frío, y por eso se ha clasificado a las anginas de pecho en base a dichas causas desencadenantes.

La *angina de esfuerzo* es la más común, y se caracteriza porque las crisis se desencadenan a consecuencia de un esfuerzo —ya sea violento o continuado— que incrementa las necesidades de oxígeno del organismo, con lo cual el corazón también debe incrementar su esfuerzo; mas como para ello el músculo cardiaco necesita una mayor irrigación y ésta no es posible a causa de la estrechez de los vasos que origina la arteriosclerosis, ese desfase entre la cantidad de sangre necesaria y la que se recibe es lo que produce la crisis anginosa.

En la *angina de frío* la crisis, como su nombre indica, la provocan las bajas temperaturas, que exigen un mayor esfuerzo al corazón para mantener el calor del cuerpo.

La *angina de decúbito* se caracteriza por hacer su aparición durante la noche, a consecuencia del mayor predominio asumido por el sistema nervioso parasimpático, que ocasiona una vasoconstricción de las coronarias.

Con la *angina de emoción* entramos en otra clase de crisis, en la que los elementos desencadenantes son la adrenalina y la noradrenalina, hormonas cuyo efecto consiste en incrementar notablemente las reacciones químicas que se producen en las células musculares del corazón, lo que exige un consumo de oxígeno muy superior al normal.

En estos casos, más que de una falta de oxígeno se trataría de una excesiva demanda, que en ocasiones extremas puede conducir a la crisis anginosa, incluso cuando las coronarias están completamente sanas.

Eso es lo que ocurre en las emociones violentas, en las que se producen grandes descargas de adrenalina en la sangre; también es posible que influya en las anginas de esfuerzo, colaborando a acelerar la crisis anginosa primero e intensificándola después a causa del pánico y angustia que siempre la acompañan, tal y como ya hemos expuesto.

En la *angina de reposo* los ataques aparecen sin causa aparente, en pleno reposo, debido a una agravación del estado general de las coronarias, ya sea debido a su natural evolución, o porque se haya sufrido con anterioridad alguna crisis anginosa y no se hayan tomado las precauciones debidas para evitar la extensión del mal.

La evolución de la enfermedad coronaria conduce al paso siguiente, cuando las crisis se producen cada vez con mayor frecuencia, incluso varias veces al día, con lo que se llega a la *angina evolutiva* o *mal anginoso*: el paciente percibe una penosa sensación de constricción incluso en los intervalos entre crisis y crisis, que cada vez son más frecuentes; la insuficiencia cardiaca se hace notoria y constante.

El infarto

El nombre de infarto acostumbra a asociarse con el infarto de miocardio, por tratarse de la forma más conocida en que se presenta el infarto, y también por ser la que mayor número de muertes ocasiona.

Pero en realidad, la palabra *infarto* sirve para designar una zona de tejido muerto por falta de irrigación sanguínea, y eso es algo que puede suceder en cualquier parte del cuerpo, siendo no obstante los más graves el de corazón (el infarto de miocardio) y el de cerebro (del que ya hablamos al tratar de la arteriosclerosis cerebral), a los que siguen en importancia el de intestino y el pulmonar. Todos los demás son de consecuencias mucho menos graves.

Al proceso durante el cual mueren las células se le denomina *necrosis*, y a la zona afectada, *zona necrótica*.

Lógicamente, el infarto debería ser el resultado final de la arteriosclerosis, al avanzar el proceso hasta llegar a cerrarse totalmente la arteria, privando de riego sanguíneo a los tejidos comprendidos en su zona de irrigación, y ocasionando así la muerte de los mismos.

No obstante, en realidad no ocurre así, ya que el organismo posee unos mecanismos de recuperación tan extraordinarios que por sí solos son capaces de superar esas situaciones.

En efecto, cuando una arteria se va obstruyendo, al circular menos cantidad de sangre tanto en la misma como en sus sucesivas ramificaciones su presión interna disminuye, mientras que en las arterias próximas, que deberán recibir mayor cantidad de sangre, la presión se incrementa.

Cuando esta diferencia alcanza un grado extremo, es decir cuando la presión es prácticamente nula en la arteria obstruida, la sangre tratará de alcanzar la zona de riego afectada a través de los pequeñísimos vasos que unen las zonas dependientes de las arterias próximas, con lo cual dichos vasos se irán agrandando. Finalmente, cuando la arteria quede totalmente colapsada, la situación podrá compensarse y no se producirá la muerte de los tejidos afectados, evitándose así el infarto.

Para una mejor comprensión de este proceso, en la figura 7 hemos intentado dar una idea del mismo, señalando con un punteado la zona de irrigación dependiente de la arteria afectada; puede observarse la progresiva obstrucción de la arteria y cómo al irse ensanchando los pequeñísimos vasos dependientes de las arterias colate-

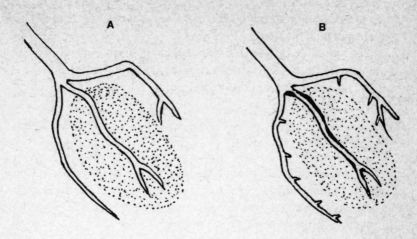

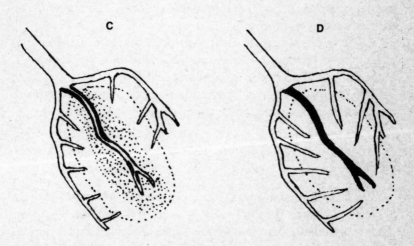

7. Evolución normal de una obstrucción arterial.
(Véase la explicación en el texto.)

rales la zona que hubiera podido necrosarse queda totalmente irrigada por el nuevo sistema.

Ésa es la causa de que se hayan hallado grandes arterias completamente obstruidas en el corazón de personas fallecidas por otras causas, sin que se hubiera producido ningún infarto.

Causas del infarto

Por lo tanto, para que tenga lugar un infarto es necesario que no exista el tiempo indispensable para que se produzca esa derivación de la circulación y, por consiguiente, que la obstrucción de la arteria sobrevenga de forma brusca e imprevista.

Como vimos anteriormente, la estructura de la túnica íntima de las arterias afectadas por la arteriosclerosis deja de ser lisa y regular para hacerse discontinua e interrumpida por placas y rugosidades, produciéndose úlceras sobre las cuales se originan coágulos que pueden colapsar el vaso o desprenderse en forma de émbolos y obstruir un vaso menor.

En otros casos, la progresiva deteriorización de las paredes arteriales puede ocasionar la ruptura de algunos de los vasos que la alimentan, produciendo idénticas consecuencias.

Por último, si la crisis provocada por una angina de pecho se prolonga excesivamente, puede asimismo acabar en infarto.

Síntomas

El síntoma fundamental, y que predomina sobre todos los demás, es el dolor. De improviso, a veces tras un esfuerzo o una comida abundante pero también sin causa aparente y especialmente de noche, se produce un intenso dolor en el centro del pecho, como si una garra de acero estrujase el corazón.

Ese dolor, que puede irradiar hasta la parte izquierda del cuello, al brazo izquierdo e incluso en ocasiones a los dos brazos, puede localizarse también en la zona del estómago, y su duración oscila entre algunas horas y varios días.

El paciente queda casi inmovilizado, presa de angustia y agitación, con la impresión de una muerte inminente; esa violenta emoción provoca una descarga de adrenalina en la sangre, con la consiguiente constricción de la mayoría de las arterias y una dilatación de las coronarias, lo que ocasiona una leve subida de la tensión arterial. Sin embargo, la presión no tarda en descender, y el paciente entra en colapso, debido a la disminución de la energía contráctil del corazón.

El enfermo sufre una extraordinaria fatiga y su pulso es débil y rápido, quedando frío, pálido y sudoroso, y apareciendo a veces náuseas y dificultades respiratorias.

Es el momento más peligroso de todo el proceso del infarto y, de superarse, las posibilidades de supervivencia son muy grandes, ya que en este primer período es cuando la mortalidad es más elevada, alcanzando el 30 o 40 % de los casos, de los cuales la mitad se produce en las primeras horas, sin dar tiempo a aplicar ningún tratamiento.

Luego, a causa de la destrucción de las células de los tejidos afectados, penetran en la sangre sustancias proteicas y enzimas, por lo general a partir del día siguiente al ataque, determinando una ligera fiebre que suele durar unos días.

En los primeros días la mortalidad se debe al *shock*, a los accidentes tromboembólicos o a las perturbaciones del ritmo cardiaco. Hacia los 15 o 20 días, la zona necrótica reabsorbida da lugar a una cicatriz fibrosa, cuyas consecuencias dependerán de la zona que invada; tanto pueden carecer de importancia, si la zona es pequeña y exterior, como ser graves, de interesar a la zona interna del corazón.

Ulteriormente disminuye el riesgo de muerte, el cual llega a coincidir con el de la angina de pecho, existiendo también el riesgo de recaídas en una tercera parte de los casos.

5

Los factores de riesgo

Desde hace bastantes años, y a intervalos regulares, se están realizando estudios sobre grupos de personas, procediéndose después a analizar en el ordenador los resultados obtenidos en busca de una correlación entre las enfermedades y todos aquellos factores (clínicos, biológicos, alimenticios, ambientales, etc.) que afectan a dichos grupos de personas.

El resultado de tales análisis ha arrojado mucha información sobre las posibles causas que pueden incidir en las enfermedades, y a dichas causas posibles se les ha dado el nombre de *factores de riesgo*.

Al factor de riesgo se le define como una causa o factor cuya presencia aparece vinculada —con una frecuencia superior a la normal— al riesgo de aparición de una determinada enfermedad.

Así por ejemplo, cuando las estadísticas nos indican que cada año fallecen de muerte repentina doble cantidad de personas fumadoras que de no fumadoras, podemos concluir que el tabaco es un factor de riesgo importante en los accidentes cardiacos.

No obstante, hay que ser muy prudentes al analizar estos resultados, ya que, volviendo al ejemplo del tabaco, también podemos

deducir que existen bastantes fallecimientos en personas no fumadoras y que por lo tanto pueden suceder varias cosas:

1. Que el tabaco sea la causa principal, pero que existan otros
factores que actúan con total independencia del mismo.

2. Que el tabaco sea tan sólo la causa desencadenante de otros
factores, que serían los verdaderamente causales.

3. Que además del tabaco existan otros factores de similar importancia que, al presentarse conjuntamente, incrementen el riesgo
de mortalidad de modo proporcional.

4. Que se haya trabajado con un número excesivamente reducido de personas y que su distribución entre fumadores y no fumadores sea fruto de la casualidad, no teniendo pues el tabaco incidencia
alguna en dichos fallecimientos.

Por lo tanto, antes de sacar conclusiones definitivas hay que
repetir las encuestas y los análisis hasta la saciedad, y proceder
luego a su comprobación experimental. Eso es lo que se está lle-
vando a cabo actualmente en todo el mundo.

Mientras tanto, hay que limitarse a eliminar en lo posible de
nuestras vidas todos aquellos factores de riesgo suficientemente
comprobados, y mirar con cierto escepticismo la excesiva prolifera-
ción de factores de riesgo que se anuncian sin cesar por los medios
de difusión; de creer en ellos, ya no quedaría casi nada en el mundo
que no fuera capaz de provocar un cáncer o un infarto.

Aclarados estos conceptos, volvamos a los más importantes factores de riesgo que han sido suficientemente comprobados en la
arteriosclerosis, entre los que destacan en primerísimo lugar el tabaco, la hipercolesterolemia (el colesterol y las grasas) y la hipertensión, y a los que siguen, si bien con menor incidencia, la edad, el
sexo, la constitución, la diabetes, la obesidad, el alcohol y algunos
otros que ya analizaremos someramente en su momento.

Pero, repetimos, la asociación tabaco-hipercolesterolemia-hi-
pertensión es la más temible, hasta el extremo de que el riesgo
coronario es de 30 a 40 veces mayor si se dan estos tres factores en
sus valores máximos. De todos modos, estos cálculos de riesgo son
siempre valores promedio, y en cada caso individual debe hacerse

intervenir la mayor o menor duración e intensidad con que cada uno de estos factores ha actuado sobre la persona, así como la posible inferencia de los factores secundarios que también hemos citado (edad, sexo, constitución, etc.).

El tabaco

Todos los estudios realizados incluyen al tabaco como uno de los principales factores de riesgo, hasta el punto de calcularse que en el mundo occidental casi el 80 % de los hombres son fumadores, y que una tercera parte de los mismos consume un paquete diario de cigarrillos; por otra parte, el promedio de mujeres y jóvenes adeptos al tabaco aumenta día a día de tal forma que las encuestas realizadas quedan desfasadas apenas terminado su análisis.

También se ha hecho evidente que la elevada tasa de mortalidad debida al tabaco obedece ante todo a los accidentes cardiovasculares, al cáncer y a los problemas pulmonares, pudiendo afirmarse que a los 25 años la esperanza de vida se reduce en seis años sobre la normal si se fuman 20 cigarrillos diarios, y en ocho años si se llega a los 40 cigarrillos. Un fumador de menos de 50 años que consuma 20 o más cigarrillos diarios tiene un riesgo tres veces mayor de infarto de miocardio y cinco veces mayor de muerte repentina que un no fumador.

Creemos que estos resultados son suficientemente significativos. Pero, además, es posible sacar conclusiones orientativas sobre cómo actúa el tabaco. Así, se ha comprobado que un fumador moderado que no se trague el humo tiene un riesgo sólo ligeramente superior al no fumador, lo que explica el escaso riesgo *aparente* de la pipa y del cigarro puro cuando no se traga el humo, ya que en este caso sólo se absorbe del 5 al 10 % de la nicotina, mientras que al inhalar el humo se absorbe prácticamente el 90 % de la misma. Sin embargo, no hay que olvidar que, si bien el riesgo de accidentes cardiovasculares entre los fumadores que no se tragan el humo es menor, la incidencia del tabaco sobre los cánceres del aparato digestivo sigue siendo la misma.

Aunque todos los estudios concuerdan en destacar la grave incidencia del tabaco en la arteriosclerosis, en su evolución y en sus fatales consecuencias, existen en cambio notables diferencias sobre cuál es la forma que ocasiona mayor mortalidad. En efecto, algunas encuestas muestran que el mayor número de fallecimientos se produce por accidentes cardiovasculares, mientras que en otras la causa más frecuente son los accidentes cerebrales; el resultado, pues, se halla en función del país o del grupo de personas en que se ha realizado la encuesta, y por lo tanto existe una fuerte incidencia de los demás factores de riesgo sobre los resultados obtenidos.

Al tratar de corroborar estos resultados experimentalmente se ha llegado a la conclusión de que existen en el tabaco dos factores culpables de sus nefastos efectos: la nicotina y el óxido de carbono; también se ha comprobado que ninguno de esos dos factores es causa directa de las lesiones arterioscleróticas pero que, en cambio, ambos favorecen la formación de coágulos y émbolos, aparte de tener acciones secundarias, la principal de las cuales es la de disminuir la tolerancia al esfuerzo de las regiones afectadas por la arteriosclerosis.

Por último, es importante señalar que cuando se abandona el consumo del tabaco el riesgo arterial que el mismo comportaba va disminuyendo, hasta situarse al mismo nivel del de los no fumadores en un tiempo que oscila entre los 5 y los 10 años.

La hipercolesterolemia

Al estudiar el origen de las lesiones ateroscleróticas ya vimos que su causa primera consistía en la infiltración de los lípidos de la sangre a través de la pared arterial, descomponiéndose a continuación en colesterol y ácidos grasos. Es evidente que todo aumento en la tasa de colesterolemia supondrá una mayor incidencia en la formación de dichas lesiones y, por lo tanto, que el riesgo de mortalidad por accidentes arteriales aumentará, como mínimo, de forma proporcional.

Dado que el próximo capítulo lo dedicamos a un estudio detallado del colesterol, a causa de su gran importancia, de momento nos limitaremos a exponer someramente las consecuencias que se deducen del análisis de los estudios estadísticos.

Lo primero que llama la atención es el hecho de que incluso con una tasa de colesterolemia muy baja siguen existiendo accidentes (aunque muy pocos), lo que indica que no existe una zona de seguridad absoluta, cabiendo en lo posible que una excesiva permeabilidad de las paredes arteriales pueda ser la causa de estas lesiones en presencia de valores bajos.

En segundo lugar, al aumentar la tasa de colesterolemia aumenta por igual el riesgo de toda clase de accidentes arteriales, tanto coronarios como cerebrales o de otras localizaciones.

También se observa que el riesgo de accidente coronario (por no citarlos todos) aumenta notablemente incluso con aumentos mínimos de colesterolemia, principalmente en la vecindad de aquellos valores que se consideran normales. Por poner un ejemplo, diremos que los campesinos fineses, cuya colesterolemia apenas supera los 2,5 g/l, poseen una mortalidad coronaria cinco veces superior a los de Grecia, Italia o Japón, cuya colesterolemia ronda los 2 g/l.

La hipertensión

Hasta hace relativamente poco se ha subestimado el peligro que representa la hipertensión arterial; sin embargo, en la actualidad se le concede cada vez más importancia, al haberse comprobado que se trata de un importante factor de mortalidad, no sólo por ser responsable de hemorragias cerebrales e insuficiencias renales, sino también por constituir un importante factor causal de la arteriosclerosis, hasta el extremo de que se calcula que de un 30 a un 70 % de los pacientes de arteriosclerosis ya padecían hipertensión.

Para dar una idea más clara de lo que representa la hipertensión como factor de riesgo, nos limitaremos a señalar que las estadísticas norteamericanas de seguros de vida calculan que la esperanza de vida de un hombre de 45 años se reduce en diez años si su tensión es de 15/9 en lugar de 12/7 o 12/8.

Lo que todavía no está muy claro es cómo actúa la hipertensión para dar origen a la arteriosclerosis, si bien se especula que el aumento de presión puede acelerar la velocidad de filtración de los lípidos presentes en la sangre a través de la túnica íntima de las arterias.

Sea como fuere, podemos concluir que la hipertensión es un factor primordial de riesgo de arteriosclerosis, y que su efecto es tanto más peligroso cuanto más prolongado sea y más precozmente se inicie. Sin embargo, no es un factor suficiente por sí solo, como lo demuestra el caso de los negros y los asiáticos, entre los cuales, pese a ser muy frecuente y acarrear una gran incidencia de hemorragias cerebrales, produce escasos accidentes coronarios o periféricos.

La edad

La frecuencia de los accidentes arterioscleróticos aumenta con la edad de forma progresiva hasta los 65 o 70 años en el hombre y los 75 u 80 en la mujer, a cuyas edades el factor de riesgo parece estabilizarse e incluso disminuir, pudiendo decirse que la edad más peligrosa es la comprendida entre los 40 y los 65 años.

Las causas por las que se produce esta evolución del riesgo no son bien conocidas, si bien se supone que con la edad aumenta la probabilidad de aparición y aplicación de los demás factores de riesgo; con todo, si al llegar a una edad suficientemente avanzada no se ha producido la arteriosclerosis patológica, cabe esperar que sólo aparezca en su forma senil, la cual generalmente no conlleva riesgo de accidentes fatales.

El sexo

Parece bien demostrado que el sexo es un factor de riesgo y que los hombres tienen muchas más probabilidades de contraer la arteriosclerosis que las mujeres, ya que las estadísticas muestran que de cada 100 afectados 65 son hombres y 35, mujeres.

Hasta hace muy poco se atribuía dicha diferencia a la desproporción existente entre los dos sexos en el abuso del tabaco y el alcohol; no obstante, a pesar de que cada vez es menor la distancia que separa a hombres y mujeres en el consumo de ambos tóxicos, la diferencia en la incidencia de la enfermedad no disminuye de forma paralela.

A este respecto, modernos y detallados estudios han suministrado algunos datos curiosos que aclaran la cuestión: el más importante consiste en que el riesgo de arteriosclerosis en las mujeres es casi nulo hasta la llegada de la menopausia, a partir de cuyo momento su tasa de incidencia va igualándose con la de los hombres.

Otro dato curioso, y que parece apuntar en el mismo sentido, es que en caso de extirpación de ovarios o esterilización radioterápica (lo que para nuestro caso podría interpretarse como una menopausia precoz) se produce asimismo un recrudecimiento de los accidentes arteriosclerosos que, al igual que en la verdadera menopausia, también se acompañan de una elevación del peso corporal, la presión arterial y la colesterolemia.

De todo ello se deduce que las hormonas ováricas juegan un importante papel protector que, si bien no está claramente determinado, se debe según todos los indicios a que dichas hormonas actúan principalmente sobre la colesterolemia. En cambio, las hormonas masculinas no poseen dicho efecto protector, e incluso algunos autores han llegado a considerar la posibilidad de que actúen en sentido contrario.

Por último, el análisis anatómico de recién nacidos ha demostrado que la túnica íntima de las arterias de los niños es más espesa que la de las niñas, lo cual podría ser otro dato a tener en cuenta, aun cuando no sepamos cómo influye.

Llegados a este punto, creemos interesante analizar un problema que desde hace algunos años empieza a preocupar a las mujeres.

En efecto, si, como hemos visto, las hormonas ováricas protegen a la mujer contra la arteriosclerosis, ¿cuál será el efecto de la píldora anticonceptiva?

Por el momento sólo conocemos un estudio serio realizado en Inglaterra sobre este tema; en el mismo se observó a 46.000 mujeres desde 1968 a 1976, comprobándose que las mujeres que usaron la píldora representaban un índice de mortalidad por accidentes vasculares ligeramente superior a las que no la utilizaron, riesgo que aumenta con la edad y el tiempo de utilización de la píldora.

De hecho, en la mayoría de los casos los accidentes se presentaron en forma aguda, sobre todo en forma de trombosis, pero se produjeron en mujeres que además ya poseían hipertensión, hipercolesterolemia o tabaquismo intenso, lo que hace suponer que la píldora incide sobre estas anomalías o sobre una predisposición congénita a las mismas.

Por lo tanto, lo que se impondría como norma ideal es realizar tres meses antes y tres meses después de tomar la píldora un balance ginecológico en el que se valorase la herencia, la tensión arterial, la colesterolemia e incluso la hiperglucemia en el caso de que existan casos de diabetes en la familia, y no decimos del tabaquismo por ser más que evidente su existencia o no.

Sólo a la vista de ambos balances el médico podrá aconsejar o no la prosecución en el uso de la píldora.

La diabetes

Anteriormente hemos señalado que los principales factores de riesgo eran tres: hipercolesterolemia, hipertensión y tabaquismo, pero en realidad debería añadirse a los mismos la diabetes; si no lo hemos hecho es a causa de que dicha enfermedad presenta implicaciones muy diversas.

Para su mejor estudio, debemos distinguir dos tipos de diabetes: la clínica o diabetes declarada y la prediabetes.

En la diabetes clínica la esperanza de vida se reduce aproximadamente en un tercio respecto de la media, a causa de una mortalidad que en el 80 % de los casos es cardiovascular, siendo de tres a cinco veces más frecuentes —y presentándose unos diez años antes— que en los no diabéticos. Por otra parte, también son más abundantes (de dos a cinco veces) las lesiones periféricas, que en estos casos suelen ser calcificadas y difusas. Además, el peligro de mortalidad parece ser doble en las mujeres que en los hombres.

Sin embargo, lo desconcertante es que en los diabéticos asiáticos y africanos las cosas son muy distintas, y en el riesgo de mortalidad no parece influir la diabetes.

Por eso se requieren todavía muchos más estudios sobre el tema, y más específicos, dado que la diabetes tiene una definición muy vaga y presenta grandes variaciones según la edad en que se inicia y la rigurosidad con que se sigue el tratamiento.

Así, la diabetes juvenil, que precisa de la inyección regular de insulina, evoluciona lentamente hacia la arteriosclerosis (tras unos treinta años aproximadamente), mientras que la diabetes que aparece en la edad madura y en la que la falta de insulina es relativa desarrolla mucho antes un ateroma (tras unos diez años), desempeñando un papel muy importante los factores asociados, como la obesidad, la hipertensión y la hiperlipidemia. Lo que parece ocurrir es que esta clase de diabéticos no ejercen un control tan riguroso y correcto en su tratamiento como los juveniles, favoreciendo la aparición de esos factores asociados.

En definitiva, lo que se impone es concienciar al diabético de la necesidad de un riguroso control del peso y de la glucemia, ya que los diabéticos tratados tan sólo con régimen u oralmente, si realizan correctamente dicho control, tienen un riesgo arteriosclerótico prácticamente igual al de los no diabéticos.

La prediabetes no es más que una respuesta insuficiente de la secreción de insulina después de una carga de glucosa, y una cuarta parte de los prediabéticos terminan desarrollando la diabetes clínica, por lo que a priori también podemos considerarla como un factor de riesgo.

Las estadísticas confirman esta suposición, pues se ha observado que entre el 40 y el 70 % de los arteriosclerosos también existe prediabetes, mientras que en una población normal no acostumbra a aparecer más que en un 5 o 10 %.

La herencia

En puridad no puede decirse que la arteriosclerosis sea una enfermedad hereditaria, excepto en los raros casos en que se cuenta con algún ascendiente directo con accidentes cardiovasculares precoces. Lo que sí es posible es la transmisión genética de alguna anomalía de las paredes, el calibre o la distribución de la red arterial, así como de la hipersensibilidad de los centros vasomotores del bulbo cerebral, o de alguna anomalía de las glándulas de secreción interna. En último término, siempre será necesaria la incidencia de alguno de los factores principales de riesgo sobre estas causas congénitas poniéndolas de relieve y dando origen a la arteriosclerosis.

Los venenos microbianos

Cualquier enfermedad padecida puede haber dejado su impronta en las arterias, pues es bien sabido que en todas las enfermedades se originan productos tóxicos en cuya eliminación debe intervenir forzosamente la sangre, ya sea por la acción directa de sus células defensoras, o arrastrando las toxinas hasta los órganos eliminatorios para su expulsión al exterior del organismo.

Puede entonces producirse una inflamación de las paredes arteriales que, por leve que sea, y aunque cure totalmente, siempre dejará alguna señal que puede llegar a convertirse en punto de apoyo para una posterior lesión arteriosclerótica.

Como es natural, la importancia de la inflamación —y su posterior huella— dependerá de la gravedad de la enfermedad y, de todas las enfermedades, la que posee mayor trascendencia como generadora de arteriosclerosis es la sífilis, hasta el punto de que se ha dicho que todo sifilítico, por el mero hecho de serlo, ya es un arteriosclerótico, dado que la alteración de las paredes arteriales siempre aparece con gran rapidez y extensión. A este respecto, es tan importante la sífilis hereditaria como la activa. Por otra parte, entre las predisposiciones congénitas que se heredan nunca falta la debilidad de las paredes arteriales.

El alcohol

Si existe un tema controvertido entre los autores médicos es sin duda el de la importancia del alcohol en los accidentes arterioscleróticos. Podemos encontrar una amplia gama de opiniones, desde quienes afirman que el alcohol es una de las causas fundamentales de dicha enfermedad hasta quienes opinan que una copita de whisky es buena para el corazón.

Nosotros nos limitaremos a recordar que cuando se ingiere alcohol (cualquiera que sea su graduación), a pesar de que la mayor cantidad pasa primero por el intestino delgado, una parte lo hace directamente del estómago a la sangre, y ésta, a medida que circula por los tejidos del cuerpo, va bañando sus células con dicho alcohol.

Una copa de whisky ingerida con el estómago vacío produce la máxima concentración de alcohol en la sangre al cabo de una hora aproximadamente; en un hombre de 70 kilos de peso, dicho licor alcanza una dilución de un gramo de alcohol por cada litro de sangre, es decir del uno por mil.

Veamos ahora algunos hechos curiosos que luego cada cual puede relacionar libremente con ese contenido alcohólico del uno por mil en la sangre.

El profesor B. K. Richardson comprobó que una parte de alcohol diluida en 4.000 de agua tenía la propiedad de exterminar a las medusas de agua dulce.

El doctor Ridge afirma que las semillas de berros regadas con agua a la que se ha agregado alcohol en la proporción del uno por 10.000 ven retrasado notablemente su desarrollo y, cuando crecen, sus hojas son raquíticas y amarillentas. También comprobó que una dilución al uno por 20.000 es suficiente para exterminar las dafnias (pequeños crustáceos que habitan en los charcos y estanques de agua dulce), y que al uno por 10.000 impide el normal desarrollo de los renacuajos.

Por su parte, Fresé demostró que los huevos de gallina incubados en un ambiente que contenga tenues emanaciones alcohólicas producen polluelos epilépticos que apenas sobreviven un par de meses.

Pasando al hombre, diremos que está demostrado que la acción del alcohol se ejerce directamente sobre las membranas celulares, endureciéndolas y dificultando la nutrición de las mismas y, por consiguiente, el desempeño de sus funciones específicas. Este efecto es máximo en las células del estómago, del hígado y del sistema nervioso, lo que puede acarrear trastornos digestivos (las clásicas dispepsias) y nerviosos, siendo a la larga estos últimos los más perjudiciales, si exceptuamos la cirrosis hepática.

Otro efecto importante es la coagulación del protoplasma de las células especializadas, lo que acarrea su muerte y la formación en su lugar de tejido conjuntivo; es decir, la sustitución de células esenciales por elementos que sólo sirven de relleno y sostén.

No obstante, en las autopsias de cirróticos y de no bebedores de su misma edad parece que el grado de arteriosclerosis que se observa es muy parecido, es decir que el abuso de alcohol no parece incrementar las lesiones arteriales.

Además, un reciente estudio llevado a cabo en 18 países aprecia una mortalidad cardiovascular menor en los países de mayor consumo de vino. Sin embargo, no debemos olvidar que esos mismos países son los de más bajo nivel de vida, factor que puede falsear los resultados, ya que todas las encuestas indican que la arteriosclerosis es una enfermedad de la civilización, y que a mayor nivel de vida mayor incidencia de la arteriosclerosis, lo cual resulta lógico, pues un nivel de vida más alto comporta un mayor consumo de alimentos cárnicos y azucarados.

Como resumen de todo lo anterior diremos que, si bien es muy dudoso considerar el alcohol como un factor directo de riesgo arteriosclerótico, indirectamente, por sus efectos sobre los sistemas digestivo y nervioso, su importancia causal se ve notablemente incrementada, y bajo ningún concepto es correcto aconsejar su consumo.

Intoxicaciones

Al hablar de las enfermedades infecciosas hemos dicho que toda sustancia tóxica que entre en contacto con las paredes arteriales originará en las mismas irritaciones e inflamaciones que más adelante pueden degenerar en lesiones arterioscleróticas. Este proceso también debemos aplicarlo a toda clase de intoxicaciones, cualquiera que sea su origen, pero muy especialmente a las de plomo, la peor intoxicación que existe para las arterias.

Tampoco albergamos ninguna duda acerca de que muchos de los adulterantes y conservantes que se añaden a los alimentos pueden causar irritaciones en las arterias si llegan a pasar a la sangre, y lo mismo cabe decir, con mayor motivo, de los pesticidas y herbicidas, de los que cada día se hace mayor abuso. De todos modos, la incidencia de estos factores en la arteriosclerosis no está suficientemente estudiada; se supone que es muy relativa y variable, dependiendo en cada caso del producto adulterante o contaminante.

Trastornos metabólicos

Es curioso observar que la gran mayoría de los arteriosclerosos son o han sido personas obesas y que en el caso de que sean delgadas podemos afirmar que nos hallamos ante un diabético o un enfermo renal, y casi siempre acertaremos.

Por poco que analicemos las cosas, veremos que este hecho, que podría considerarse casual, es perfectamente lógico. En efecto, un obeso no es tan sólo una persona que come con exceso, sino que muchas veces existe simultáneamente una dificultad metabólica que es la que origina la obesidad; por otra parte, dicha obesidad suele ir acompañada de hipertensión, e incluso a veces de problemas psicológicos, factores todos ellos que conllevan un riesgo arteriosclerótico.

Ello nos permite afirmar que siempre que aparezcan trastornos metabólicos o digestivos de tipo crónico es casi seguro que a la larga aparecerá la arteriosclerosis.

Conclusiones

Todos los estudios realizados concuerdan en establecer incuestionablemente que la arteriosclerosis es una enfermedad en la que intervienen multitud de factores de riesgo. Además de la edad y el sexo, existen cuatro factores (hipertensión, hipercolesterolemia, tabaquismo y diabetes) cada uno de los cuales es suficiente para provocarla, factores que permiten explicar o pronosticar cerca del 80 % de los accidentes arteriosclerosos.

Si aparecen a la vez varios de estos factores, el riesgo aumenta considerablemente, por bajos que sean los valores de cada factor. Además, existen otros muchos factores de riesgo relacionados con la herencia, el psiquismo, los hábitos de vida, etc., cuya incidencia es muy difícil de calibrar a causa de que casi siempre suelen estar íntimamente relacionados entre sí.

6

Las grasas y el colesterol

A principios de este siglo, un grupo de investigadores rusos, deseando estudiar las consecuencias de una alimentación totalmente cárnica sobre la presión sanguínea y los trastornos renales, alimentaron a un grupo de conejos exclusivamente a base de despojos animales, y a su muerte procedieron al estudio de sus órganos vitales. El resultado de la experiencia fue poner de relieve un hecho inesperado: las arterias de todos estos animales presentaban importantes lesiones arterioscleróticas.

Ése fue el punto de partida de infinidad de investigaciones con toda clase de animales, desde ratas a monos, y en todas ellas se ha podido confirmar hasta la saciedad que una alimentación a base de grasas saturadas y colesterol origina siempre lesiones arterioscleróticas, que incluso pueden llegar a provocar la trombosis coronaria, y con ella la muerte del animal.

Si además de esta dieta existen alteraciones de la glándula tiroides o de los riñones, hipertensión o cualquier otro de los factores de riesgo que ya hemos estudiado, estas lesiones se agravan y aceleran en gran manera; en cambio, si falta lo que se considera el factor básico —las grasas y el colesterol— las lesiones son mucho más difíciles de producir y su evolución es mucho más lenta, a pesar de los demás factores de riego.

Por otra parte, todos los estudios estadísticos realizados hasta la fecha llegan a una misma conclusión: aquellos pueblos o naciones cuya dieta se basa principalmente en productos animales o sus derivados, todos ellos ricos en grasas y colesterol, son víctimas de la arteriosclerosis en una proporción muy superior a la de los pueblos mayoritariamente vegetarianos.

Las grasas

Después de cuanto antecede parece claro que los «malos» de nuestra película son las grasas y el colesterol, y eso nos lo están inculcando en la actualidad de tal forma que continuamente oímos hablar de grasas saturadas e insaturadas; de grasas monoinsaturadas y poliinsaturadas; de grasas animales y grasas o aceites vegetales; de grasas hidrogenadas y grasas no hidrogenadas...

Mas el problema se complica cuando simultáneamente se nos dice que las grasas son indispensables para la vida y que no podemos prescindir de dichos alimentos sin arriesgar la salud. Por lo tanto, la primera tarea que debemos acometer es aclarar qué significa cada uno de estos conceptos, a fin de saber a qué atenernos en tan importante cuestión.

En química, se denominan grasas a los ésteres glicéricos de los ácidos grasos; dicho más sencillamente, se trata de combinaciones de los ácidos grasos con la glicerina o el colesterol.

Ahora bien, para el químico, los ácidos grasos forman como una especie de cadena en la cual puede ocurrir que todos sus eslabones estén bien cerrados, de tal modo que sea imposible meter nada entre ellos, o bien que algunos de esos eslabones hayan quedado abiertos, lo que posibilitaría que se pudiera introducir dentro de los mismos otra sustancia, alterando alguna de sus propiedades.

Las grasas cuyos eslabones están perfectamente cerrados se denominan grasas saturadas, y por lo general se trata de aquellas grasas que permanecen sólidas a la temperatura ambiente, y son las que suelen acompañar a todas las carnes y vísceras animales. Estas grasas deben ser asimiladas o eliminadas tal y como penetran en el organismo, y cuando, por las circunstancias que sean, éste no está en condiciones de asimilarlas, la grasa se paseará —en forma de pequeñísimas gotitas emulsionadas en la sangre— por las arterias, donde ya hemos visto que siempre habrá algunas gotitas que se filtrarán a través de la túnica íntima, donde se depositarán y podrán dar origen a lesiones iniciadoras de la arteriosclerosis.

Por el contrario, grasas insaturadas son aquellas que poseen algunos eslabones abiertos, permitiendo que el organismo use las aberturas para combinar dichas grasas con otras sustancias, facilitando así su fácil absorción y utilización. Según el número de eslabones abiertos se clasificarán en monoinsaturadas (de mono = uno) y poliinsaturadas (de poli = muchos). Todas estas grasas suelen ser líquidas a temperatura ambiente, como es el caso de los aceites vegetales.

El efecto de las grasas monoinsaturadas es neutro, es decir no afectan en absoluto al nivel de colesterol en la sangre, y se encuentran principalmente en los frutos secos y los aceites de oliva y cacahuete.

Las grasas poliinsaturadas tienen tendencia a bajar el nivel de colesterol en la sangre, y además contribuyen a eliminar muy eficazmente su exceso, por lo que son las más recomendables en los casos de arteriosclerosis. Estas grasas —como vemos, las más útiles— se encuentran en la mayoría de los aceites vegetales de semillas, como los de girasol, maíz, etc., y además en las llamadas margarinas blandas.

Pero en la vida no todo es tan sencillo y radical, y en el organismo todavía menos. Por citar un ejemplo, el aceite de oliva, al que se considera neutro en lo que al colesterol se refiere, es un excelente disolvente de los depósitos calcáreos, al igual que de los cálculos del hígado y de los riñones, siendo por dicho motivo tan beneficioso en la arteriosclerosis como las propias grasas poliinsaturadas.

Por otra parte, las grasas poliinsaturadas suelen ir acompañadas de grasas fosforadas (fosfolípidos) —como la lecitina—, antioxidantes naturales y vitaminas. Si sabemos que los antioxidantes impiden que los aceites se combinen con el oxígeno de la sangre dando origen a peróxidos tóxicos, que la lecitina facilita la emulsión y asimilación del colesterol y que las vitaminas son imprescindibles para nuestro metabolismo, resulta obvio que cuando los aceites, por poliinsaturados que sean, carecen de dichos elementos que los «impurifican», han perdido prácticamente una gran parte de su carácter beneficioso.

Pues bien, los aceites vegetales, en su estado natural y debido a todas esas «impurezas» que les acompañan, tienen un defecto muy grave para su uso comercial: se enrancian y por lo tanto no pueden permanecer almacenados mucho tiempo.

Estos inconvenientes se subsanan actualmente mediante dos procesos muy simples: los aceites se refinan cuidadosamente, con lo cual además de eliminar el exceso de acidez que puedan contener se eliminan también todas las «impurezas»; las margarinas blandas se hidrogenan, lo que las convierte de grasas poliinsaturadas en monoinsaturadas y saturadas. Y *eso casi nunca se especifica en las etiquetas...*

Por lo tanto, mientras no mejore la ética comercial, lo mejor que se puede hacer es prescindir de las margarinas blandas y procurar consumir únicamente aceite no refinado y, a ser posible, prensado en frío; además, siempre que sea posible debemos consumir el aceite crudo, reduciendo al máximo los fritos, o al menos no guardar el aceite sobrante para volver a usarlo posteriormente, ya que al freír el aceite inicia un proceso de auto-oxidación que además de comunicarle mal olor y mal sabor lo convierte en indigesto y perjudicial para la salud.

Las grasas en el organismo

De una manera muy esquemática, podemos concluir que la mayoría de las grasas que ingerimos con los alimentos atraviesan la barrera intestinal en forma de gotitas finamente emulsionadas que, tanto por la vía linfática como por la vena porta, pasan al torrente sanguíneo hasta que a su paso por el hígado son reelaboradas y cedidas de nuevo a la sangre para abastecer todas las necesidades del organismo, ya sea como material de combustión, como material plástico o como material de reserva para su ulterior empleo.

En efecto, no debemos olvidar que a igualdad de peso las grasas liberan casi el doble de energía que los azúcares y las proteínas, por lo que si el organismo quiere almacenar material de reserva le resulta mucho más fácil hacerlo en forma de depósitos de grasa, especialmente en el tejido adiposo, entre la piel y los músculos.

Pero como material plástico las grasas son imprescindibles en la constitución de importantes estructuras celulares; por ejemplo, todos los tipos de membranas conocidas en los organismos superiores están compuestas fundamentalmente de fosfolípidos, motivo por el cual existe tal abundancia de los mismos en el sistema nervioso, especialmente en el tejido cerebral.

El colesterol

Volvamos ahora al colesterol, del que hemos estado hablando como del auténtico «malo» de nuestro caso, pero del que todavía no sabemos casi nada.

Se trata de un alcohol que tiene la propiedad de combinarse (esterificándose) con los ácidos grasos de los alimentos, contribuyendo al transporte y utilización de las grasas en el organismo. A temperatura ambiente es una sustancia amarillo grisácea, de consistencia muy parecida a la cera.

Se encuentra presente, ya sea libre o unido a grasas y proteínas, en todas las células de los animales, especialmente en las nerviosas, siendo muy abundante en las vísceras, el cerebro y la mayoría de las glándulas de secreción interna.

En el organismo normal es esencial para la salud: su acción antitóxica protege a los glóbulos de la sangre contra las infecciones y evita la anemia; regula el grado de hidratación de los tejidos, lo que le convierte en un importante factor del equilibrio celular; colabora en la síntesis de la mayoría de las hormonas, incluyendo las sexuales, y por último, ejerce una acción reguladora sobre el sistema nervioso vegetativo, haciendo posible la perfecta transmisión del influjo nervioso.

Por otra parte, la acción de los rayos ultravioleta del sol sobre el colesterol de nuestros tegumentos superficiales lo convierte en calciferol o, lo que es lo mismo, en vitamina D, indispensable para el metabolismo del fósforo y del calcio, por lo que se la ha llamado la vitamina antirraquítica, y en melanina, el pigmento que proporciona a la piel ese color moreno que constituye el mejor testimonio de unas vacaciones pasadas a pleno sol.

El ciclo del colesterol

Existen dos tipos de colesterol, el que ingerimos con los alimentos y el que produce el propio organismo, principalmente en el hígado, el bazo, las glándulas suprarrenales, los ovarios, etc., siendo la glándula tiroides la que ejerce la función de controlar la tasa del mismo.

Ya hemos visto que el hígado se encargaba de reelaborar las grasas en un proceso que por su complejidad no nos es posible detallar aquí; sin embargo, lo que sí debemos añadir es que en este proceso también se realiza la síntesis del colesterol, que, junto con el elaborado por los demás órganos citados, pasa a la sangre para su distribución al resto del organismo, y después de usado por las células es vertido de nuevo en la sangre para su eliminación fuera del cuerpo.

Así pues, tanto directa como indirectamente las grasas constituyen la principal fuente de colesterol; no obstante, hay que hacer constar que por lo general su ingestión en cantidad sólo provoca una elevación transitoria del contenido de colesterol en la sangre, y todo el sobrante es eliminado rápidamente.

Sin embargo, cuando existe un desequilibrio en el metabolismo de las grasas y del colesterol, este último, una vez usado por el organismo, y en lugar de ser totalmente eliminado, permanece en gran parte en la sangre, dando lugar a lo que hemos llamado la hipercolesterolemia.

La colesterolemia

La colesterolemia, o cantidad de colesterol presente en la sangre, se considera normal cuando es de 2 a 2,2 gramos de colesterol por litro de sangre, aun cuando para prevenir accidentes es aconsejable mantener este nivel entre 1,8 y 2 g/l, tasa que, por otra parte, coincide con la media correspondiente a aquellas poblaciones del mundo en que ocurren menos accidentes cardiovasculares. A partir de 2,8 g/l, la hipercolesterolemia ya se considera peligrosa.

Por lo tanto, lo que hay que combatir no es el colesterol en sí, sino su exceso, la hipercolesterolemia, que hace que se deposite en los tejidos en forma de masas más o menos extensas y duras que provocan la formación de lesiones, tumores y quistes, como suele ocurrir en el hígado y los ovarios, en la vesícula biliar, coadyuvando a la formación de cálculos, y en las arterias, en las que provoca la arteriosclerosis, con todos los trastornos funcionales que ya hemos estudiado.

Colesterol y nivel de vida

Y todo ello no son vanas especulaciones, sino que está basado en investigaciones y estudios estadísticos repetidos una y mil veces, tanto en animales como en el hombre, ya sea en pacientes vivos o realizando la autopsia a los fallecidos. Y siempre con idénticos resultados: cuanto más rico es el país, cuanto más elevado es el nivel de vida de la persona y, por consiguiente, su promedio de ingestión de carnes, grasas, colesterol y calorías, mayor es la incidencia de la arteriosclerosis y sus terribles secuelas.

Así por ejemplo, en Estados Unidos, Holanda y Finlandia el factor de riesgo es actualmente cuatro o cinco veces mayor que en Japón, Grecia o Yugoslavia, paralelamente a su mayor consumo de carnes y grasas.

Por el contrario, y confirmando los mismos hechos, desde hace unos diez años, gracias a las campañas de sensibilización popular sobre el colesterol y el tabaco, ha empezado a descender la incidencia de las enfermedades cardiovasculares en amplias zonas de Estados Unidos y de Finlandia, mientras que en los demás países todavía sigue subiendo. No obstante, dichos países, con su elevado nivel de vida, siguen todavía muy por encima de los demás en sus niveles de riesgo y colesterol.

Hipercolesterolemia e hiperlipemia

Del mismo modo que la hipercolesterolemia consiste en un exceso de colesterol en la sangre, cuando dicho exceso es de grasa se denomina *hiperlipemia*. La tasa normal es de 1,5 gramos de grasas neutras por litro de sangre; por encima de ese nivel el suero se enturbia y adquiere un aspecto lechoso fácilmente reconocible, muy distinto de la hipercolesterolemia, en la que el suero se mantiene perfectamente límpido.

En condiciones de buena salud, después de las comidas que contienen grasas se produce una hiperlipemia que llega a su máximo valor transcurridas cinco o seis horas, pero eso es normal; lo que aquí nos interesa es la hiperlipemia permanente y, por tanto, patológica.

Y nos interesa porque siempre va unida a una hipercolesterolemia, que si bien es proporcionalmente mucho menor no por ello deja de ser notable y, por consiguiente, un factor de riesgo que añadir a los ya mencionados para la arteriosclerosis. Por otra parte, la hiperlipemia nos da un claro indicio de que posiblemente en el fondo de la hipercolesterolemia existe siempre una deficiencia en el metabolismo de las grasas.

Las hiperlipemias son frecuentes en las afecciones del hígado, en la diabetes, la pancreatitis, la insuficiencia tiroidea, la anemia, las lesiones de los riñones, el embarazo y en ciertas intoxicaciones. Por lo general llega a convertirse en crónica, desapareciendo o atenuándose notablemente con un régimen magro. Con todo, cuando se comete un exceso en la ingestión de grasas, la hiperlipemia adopta la forma de una crisis caracterizada por agudos dolores abdominales similares a los de un cólico; caso de repetirse estos excesos en la ingestión de grasas, las crisis pueden hacerse tan frecuentes y violentas que pueden confundirse fácilmente con una peritonitis o una apendicitis.

Cáncer y colesterol

Por otro lado, han sido publicados recientemente los resultados de una investigación sobre el cáncer y el colesterol, realizada entre los habitantes de Framingham (Massachusetts), que ha durado 24 años. En dicho informe se llega a la conclusión de que las personas con niveles bajos de colesterol, o sea inferiores a 1,9 g/l, padecen 4,6 veces más cáncer de colon y 13,4 veces más otros cánceres que aquellas con niveles altos de colesterol, y que los niveles por encima de 2,8 g/l prácticamente no dan origen a ningún tipo de cáncer.

Anteriormente ya se habían realizado estudios en el mismo sentido, también en Estados Unidos, y en Puerto Rico, Hawai y Yugoslavia, con resultados parecidos, aunque no tan contundentes.

De todos modos, como argumento contrario podemos considerar el caso de Japón, del que se opina que su bajo promedio de enfermedades cardiovasculares se debe a su baja tasa de colesterolemia, y resulta que es también uno de los países con menor incidencia de cáncer.

El colesterol, ¿culpable o inocente?

Por si eso fuera poco, recientemente están apareciendo resultados que empiezan a hacer tambalear muchas de las conclusiones de la medicina moderna sobre el colesterol.

En efecto, los esquimales consumen en su alimentación productos muy ricos en grasas y colesterol y, sin embargo, las enfermedades cardiovasculares son prácticamente desconocidas entre ellos; en cambio, cuando alguna tribu —gracias a sus contactos con la civilización— incorpora a su alimentación los azúcares blancos, las harinas refinadas, la sal no higroscópica y las conservas enlatadas, dichas enfermedades no tardan en hacer presa en ellos.

Si repasamos cuanto hemos dicho en el presente capítulo, empezaremos a preguntarnos —tal como ya lo hacen muchos investigadores— si será realmente el colesterol la causa de todas las calamidades que se le imputan o si, por el contrario, se trata tan sólo de un síntoma (del mismo modo que el azúcar lo es de la diabetes) y el verdadero problema reside en causas más profundas que ocasionen una incapacidad o insuficiencia en el control y eliminación del mismo.

Trabajando en esta línea, han empezado a repetirse los antiguos experimentos rusos con conejos y ratas, pero esta vez en Estados Unidos y con seres humanos.

En 1953 se escogió a 73 jóvenes voluntarios que gozaban de perfecta salud y se les sometió durante siete semanas a una dieta en la que se incluían 30 gramos diarios de colesterol, unas 30 veces más de lo que suele existir en una dieta normal, con el resultado de que si bien la tasa de colesterol en la sangre sufría un aumento transitorio descendía muy pronto a sus niveles normales sin dejar rastro.

Se cree que la razón de estos resultados tan distintos de los anteriores reside en que nuestro hígado es el principal encargado de eliminar el colesterol mediante la bilis, por lo que, cuando el exceso es constante, llega un momento en que se deposita en forma de cálculos biliares, que son colesterol casi puro.

Por otra parte, cuando la tasa de colesterol es demasiado baja ya hemos dicho que es también el hígado quien se encarga de sintetizarlo en cantidad suficiente para abastecer las necesidades del organismo. De lo cual se deduce (con bastantes probabilidades de certeza) que, de no intervenir otros factores, el colesterol no sólo no es perjudicial, sino que es imprescindible, como asimismo lo demuestra la mayor incidencia de cáncer en los niveles muy bajos de colesterol.

Podrá argüirse que desde 1953 hasta ahora ha transcurrido mucho tiempo y que las estadísticas siguen demostrando la importancia del colesterol en la génesis de la arteriosclerosis, mas lo cierto es que todavía existen más hechos que apuntan en la misma dirección.

Colesterol y estrés

El lector recordará que citamos las autopsias realizadas en soldados norteamericanos fallecidos en la segunda guerra mundial y en la guerra de Corea, en las cuales se ponía de manifiesto la existencia de lesiones arterioscleróticas en la mayoría de ellos, a pesar de su temprana edad.

Pues bien, los investigadores también lo han recordado, y han realizado nuevas experiencias con soldados paracaidistas, comprobando que momentos antes de efectuar un salto se incrementa notablemente su tasa de colesterol, lo que indica que en momentos de tensión o angustia se eleva la colesterolemia. Y a pesar de que ocurra de modo transitorio, si se repite con frecuencia llega a afectar a las arterias.

Asimismo, se han realizado también estudios con hombres de empresa, con personas que tienen que tomar decisiones importantes, pues era una manera de comprobar si realmente el infarto es la «enfermedad del ejecutivo», como se la ha llamado, o si lo que ocurría era que siempre trasciende mucho más lo que acontece a personas notables que a la gente normal.

El resultado de dichos estudios ha sido comprobar que cuando alguien se encuentra en una situación decisiva sube la tasa de colesterol, y el informe añade que se ha comprobado en los ejecutivos que su nivel más alto de colesterol se registraba cuando estaban preparando su declaración de impuestos.

Ahora bien, la valoración estadística directa de la incidencia del estrés sobre la génesis de la arteriosclerosis o del riesgo coronario es muy difícil de realizar, y los resultados son afirmativos en términos generales, pero muy irregulares en cuanto a su estimación, dado que la estructura psíquica y emocional es excesivamente compleja, y en realidad es más importante la manera como se vive una situación determinada que la situación en sí.

Para ser más claros, diremos que una situación conflictiva, de tensión o de angustia producirá reacciones muy distintas en personas distintas; habrá quien sufrirá una verdadera crisis emocional, mientras que otro individuo en la misma situación apenas perderá la calma y su reacción emocional será leve. Pues bien, también la reacción del organismo está de acuerdo con la reacción emocional, y no con la intensidad de la situación.

Lo que si es innegable es que, si bien no es posible analizar cuantitativamente estos hechos, no cabe la menor duda de que en todos los seres humanos, en momentos de tensión, angustia o fuertes emociones, existirá la tendencia a que se incremente su colesterolemia, y que una vida de lucha, tensión o frustración será un verdadero seguro de arteriosclerosis.

Con lo que, curiosamente, las conclusiones de los modernos investigadores se acercan cada vez más a lo que desde muchísimos años viene diciendo la naturoterapia: que la enfermedad es la consecuencia de una vida antinatural; que en última instancia, lo que realmente influye en ella es un modo de vida y una alimentación que cada vez se han ido separando más y más de lo que realmente deberían ser.

Pero sigamos con nuestro trabajo y continuemos constatando cuáles son nuestros errores, así como las posibles soluciones, que de una manera natural empiezan a surgir ante nuestros ojos.

7

Las vitaminas

Hemos visto que, cuando se refina el aceite, lo que éste gana en conservación y aspecto lo hace a costa de perder elementos naturales que lo acompañan y que también son indispensables para nuestro metabolismo. Pues bien, ese mismo proceso se está realizando también con muchos otros productos alimenticios, y con el mismo resultado de convertirlos en el origen potencial, por no decir básico, de una incapacidad del organismo para llevar a buen término el proceso asimilación-desasimilación celular, así como para eliminar totalmente los productos tóxicos resultantes de la misma.

Hagamos un poco de historia de cómo se han desarrollado los hechos.

Las conclusiones de la Fundación Shute

En 1948, la Fundación Shute, de Canadá, confirmaba rotundamente la aseveración que los naturópatas han venido haciendo desde siempre respecto a que la causa básica del alarmante aumento de todas las enfermedades «civilizadas» es la refinación y manipulación de los alimentos, práctica que ya se considera normal y que cada vez se incrementa más. La Fundación Shute aplica esta afirmación de los naturópatas principalmente a la refinación de la harina y a su incidencia sobre las enfermedades cardiovasculares.

En efecto, las células germinativas del trigo contienen del ocho al diez por ciento de un aceite que enrancia la harina a los pocos meses de tenerla almacenada; así, si se elimina el germen y la corteza del trigo, la harina se conserva indefinidamente, solucionándose todos los problemas, lo que permite almacenarla y comercializarla con absoluta garantía.

Lo que desconocían quienes hicieron tan trascendental descubrimiento es que con dicha operación eliminaban todas las vitaminas del trigo, cometiendo un grave atentado contra la salud de los pueblos civilizados. Estas vitaminas son principalmente la E y el complejo vitamínico B.

Según la Fundación Shute, la carencia de vitamina E es la causa de la rotura de los vasos sanguíneos en los casos de enfermedades cardiovasculares, y la falta del complejo vitamínico B colabora al respecto, por ser esencial para la salud de las células nerviosas, con lo cual su carencia, además de ser la causa de gran número de enfermedades nerviosas y mentales, produce una tensión nerviosa crónica que hace trabajar en exceso al corazón.

Entre las vitaminas de las que el organismo no puede prescindir cabe destacar tres cuya carencia repercute fuertemente sobre las enfermedades cardiovasculares: la vitamina E, por su acción sobre los músculos; las vitaminas del complejo B, por su efecto sobre los nervios cardiacos, y la vitamina C, por su efecto reforzante de las paredes arteriales.

La vitamina E

La *vitamina E* o *alfa-tocoferol* es la más abundante de todas las vitaminas que se conocen, y su principal fuente de producción la constituye el germen de los cereales, en especial del trigo; también existe en abundancia en los aceites de semillas, los guisantes, las judías verdes y la zanahoria fresca. Se encuentra asimismo, aunque en menores cantidades, en la lechuga, el hígado y la carne de buey y cerdo, la yema de huevo, la manteca y el aceite de palma.

También se la denomina «factor antiesterilizante», dado que su presencia es indispensable para asegurar las funciones de reproducción en el hombre y los animales. En el hombre determina la maduración de los espermatozoides y en la mujer, además de regular la función ovárica, interviene en la formación de la placenta, pudiendo incluso darse el caso de que si una vez realizada la fecundación se produce una fuerte carencia de esta vitamina, los fetos mueren y se reabsorben, o son eliminados cuando eso ya no es posible.

Es indispensable para la formación de los núcleos celulares, la integridad de los ácidos grasos insaturados en el organismo y el buen funcionamiento del sistema nervioso.

La característica más importante por lo que se refiere a los arteriosclerosos es su acción dilatadora de los capilares arteriales, con lo que facilita el libre fluir de la sangre por los tejidos musculares y una mejor irrigación de las terminaciones nerviosas, disminuyendo notablemente la necesidad de oxígeno de los músculos y evitando trabajo al corazón y los pulmones. Pero como a su vez las arterias, y sobre todo el corazón, poseen poderosos músculos gracias a los cuales pueden desempeñar sus funciones, esta propiedad de la vitamina E la convierte en preciosa para contrarrestar en parte los efectos constrictores de la arteriosclerosis y prevenir o atenuar las crisis anginosas.

Otra de las cualidades más sorprendentes de la vitamina E, y que todavía se ignora por medio de qué mecanismos actúa, es la de impedir que la sangre se coagule en los vasos sanguíneos, y sin coágulos no puede existir trombosis, que como sabemos es la causante del infarto, y por consiguiente de casi la mitad de todos los fallecimientos que se producen a partir de los 45 años.

Cuando se espera una crisis de angina de pecho, o ésta ya se ha producido, se recomienda el uso de drogas a base de nitroglicerina o nitritos, pero desgraciadamente sus efectos sólo son paliativos y no curativos, y además cada vez van siendo menos eficaces. En cambio, según la Fundación Shute y quienes posteriormente han comprobado los efectos de la vitamina E, la administración de esta última en dosis masivas consigue una mejoría tan notable que las recaídas son rarísimas, y además, esta mejoría también se produce en todas las demás modalidades de accidentes arterioscleróticos, incluidos los periféricos, es decir de las extremidades.

Para su normal funcionamiento, el organismo necesita un mínimo diario de uno a tres miligramos de vitamina E (el doble durante la gestación), pero la Fundación Shute recomienda su uso en dosis masivas de 300 a 500 mg diarios hasta que hayan desaparecido todos los síntomas, y seguir tomando luego indefinidamente 300 mg diarios para evitar cualquier riesgo de recaídas.

Cuando además exista hipertensión, se tomarán 100 mg diarios durante el primer mes, 120 mg diarios el segundo y 150 mg diarios el tercero, y a partir de éste se procederá a ir aumentando las dosis en 50 mg diarios cada mes hasta que se estén tomando los 300 mg.

Todos los casos de trombosis deberán tratarse con una dosis inmediata de 500 miligramos.

Estas conclusiones prácticas de la Fundación Shute han sido corroboradas posteriormente por multitud de investigadores médicos, pero en este punto debemos hacer una importante aclaración. La vitamina E está constituida en realidad por una mezcla de tocoferoles, de los cuales el único útil es el alfa-tocoferol, ya que los tocoferoles beta, gamma y delta no parecen ser activos. Por lo tanto, las cantidades citadas de vitamina E se refieren a cantidades de alfa-tocoferol puro.

Desde el punto de vista de la medicina natural, es preferible el uso de la vitamina E tal y como se encuentra en los alimentos y sin esperar a que se produzca ningún trastorno. Procurando que en la dieta exista el máximo posible de dicha vitamina, se habrá dado un paso importante en la prevención de los accidentes cardiovasculares.

Hemos dicho que es la vitamina que más abunda, y añadiremos que no se destruye por la acción del calor, como la mayoría de las demás vitaminas; se ha demostrado experimentalmente que después de someterla a 170 ºC de temperatura y a nueve atmósferas de presión no manifiesta la menor alteración en su actividad fisiológica. Así pues, ¿cómo es posible que podamos padecer carencia de la misma en nuestra dieta alimenticia?

Pues por dos razones. Primero, porque nos empeñamos en tirarla; al refinar la harina la eliminamos del pan y de los productos derivados de la misma; cuando comemos fruta —manzanas, por ejemplo— tiramos la piel y el corazón, que es donde se encuentra mayoritariamente localizada; de la lechuga aprovechamos sólo las hojas blancas y tiramos las verdes, que son las buenas; también tiramos las hojas de los rábanos..., con lo que logramos que la vitamina más abundante y resistente pueda llegar a convertirse en deficitaria para nosotros.

En segundo lugar, porque muchas veces se producen deficiencias en las funciones hepaticobiliares que, si bien no son detectables como causa de enfermedad, pueden ser suficientes para provocar que las sales biliares no lleguen al duodeno, ocasionándose deficiencias en la asimilación de la vitamina.

El complejo vitamínico B

Como ya dijimos anteriormente, con la refinación de la harina se elimina de la misma todo el complejo vitamínico B, que al igual que el alfa-tocoferol se encuentra localizado en el germen y la corteza de los cereales.

Cuando empezaron a estudiarse las vitaminas fueron catalogadas por orden alfabético según se iban descubriendo, pero más adelante pudo comprobarse que algunas de ellas —principalmente la B— no consistían en una única sustancia, sino en un grupo cuyos miembros sólo tenían en común su fuente de procedencia (en especial la levadura de cerveza y el germen de los cereales) y el hecho de ser solubles en agua. En consecuencia, primero se cambió el nombre de vitamina B por el genérico de complejo vitamínico B, y más adelante se las fue bautizando a cada una de acuerdo con su composición o propiedades.

Aun cuando cada una posee una composición y cualidades específicas, se ha constatado que si al precisarse una de ellas se aplican varias conjuntamente su efecto queda reforzado de modo considerable, siendo ésa la razón de que en la actualidad se aconseje usarlas conjuntamente.

Establecidas estas consideraciones de carácter general, veamos ahora de forma sumaria las cualidades de los principales componentes de este complejo vitamínico y los motivos que justifican su interés en la prevención o mejora de la arteriosclerosis y sus consecuencias.

La *vitamina B$_1$* o *Tiamina* es la vitamina del sistema nervioso. Al ser esencial para el metabolismo de los glúcidos (azúcares), se convierte en indispensable para el buen funcionamiento de los sistemas nervioso y muscular. También colabora en la transmisión del influjo nervioso y regulariza el corazón y la tensión arterial.

Su fuente más importantae la constituyen la levadura de cerveza, el germen de cereales, la cascarilla del arroz, las frutas y las verduras, la yema de huevo y las vísceras animales.

Al ser soluble en agua, suele pasar casi íntegramente al agua de cocción de las verduras, por lo que nunca debe tirarse el caldo resultante, que contiene además otras vitaminas y sales minerales de gran utilidad para el organismo. La antigua costumbre de guardarlo para la posterior confección de sopas debería restablecerse, y así la salud saldría ganando mucho más de lo que pueda parecer.

Contrariamente a otras vitaminas, resiste bien la acción del calor y de la congelación, pero en cambio el tratamiento de las conservas en autoclave, la pasteurización de la leche y el tratamiento de los frutos secos con gas sulfuroso para su conservación disminuyen el contenido de dichos productos en vitamina B$_1$.

Las necesidades del organismo son de 1 a 2 miligramos diarios, pero pueden variar mucho según la dieta; así, una alimentación rica en hidratos de carbono exige mayor cantidad, mientras que si lo abundante son las grasas y proteínas se requiere menos. También en la gestación y la lactancia se necesita mayor aporte diario.

La *vitamina B_3* o *PP* o *Nicotinamida* o *Niacina* es la vitamina de la energía. Ayuda a la respiración celular contribuyendo al transporte del oxígeno; de ahí sus efectos en todos los trastornos de la circulación central y periférica, ya que además posee una acción vasodilatadora sobre los capilares. También favorece la normalización de la tasa de colesterol.

Se halla en la levadura de cerveza, el germen de cereales, el salvado, los cacahuetes, las almendras, las lentejas, los guisantes, las judías, etc., pero además nuestro organismo es capaz de sintetizarla a partir del triptófano (uno de los aminoácidos que componen las proteínas); por ese motivo, los huevos, por ejemplo, que contienen poca vitamina B_3 y abundante triptófano, pueden suministrar triple cantidad de vitamina B_3 que el maíz, que es ocho veces más rico en vitamina B_3 pero que posee poco triptófano.

Y ya que citamos el maíz, diremos que en el mismo se encuentra bajo una forma que el organismo no es capaz de asimilar, y para dejarla libre es necesario someterlo a un tratamiento alcalino. Ésa es la razón de que aquellos pueblos cuya alimentación se basa casi exclusivamente en el maíz sean los que más sufren de pelagra, la más grave enfermedad provocada por la carencia de dicha vitamina. Lo curioso del caso es que, desde tiempo inmemorial, los indios mexicanos tratan el maíz con agua de cal antes de cocerlo, y gracias a eso no sufren de pelagra. Ahora bien, ¿cómo conocen desde siempre un hecho que sólo muy recientemente ha descubierto nuestra ciencia...?

Hoy día ya casi no existe pelagra gracias al aumento general del nivel de vida, y la carencia de vitamina B_3 se observa mayoritariamente por culpa del alcoholismo. En la actualidad, esta vitamina se utiliza para mitigar las deficiencias de la irrigación sanguínea cerebral, la arteritis y en general en todos aquellos trastornos arterioscerosos en que es necesario incrementar la circulación, si bien es preciso tener en cuenta que por el mismo motivo está altamente contraindicada si ha existido alguna hemorragia cerebral reciente.

Finalmente, nos limitaremos a añadir que es la más estable de todas las vitaminas.

La *vitamina B_6* o *G* o *Piridoxina* es la vitamina de los carnívoros, por regularizar el metabolismo de las proteínas y de las grasas hidrogenadas; cuanta mayor cantidad de carne se consume, mayor es la necesidad de esta vitamina.

Regulariza la nutrición de numerosos tejidos, especialmente los del hígado, nervios y piel, desempeñando un papel importantísimo en el metabolismo del ácido linoleico, uno de los más importantes ácidos grasos insaturados, por lo que no basta con consumir aceites vegetales, sino que además hay que vigilar que se hallen incluidos en la dieta alimentos ricos en vitamina B_6, a fin de favorecer su asimilación y asegurar el equilibrio del colesterol.

Se encuentra principalmente en la levadura, la soja, la yema de huevo, la leche y en todos los cereales integrales.

La *vitamina B_9* o *L_1* o *ácido fólico* es la vitamina antianémica, y su función es la de actuar sobre la regeneración y la maduración de los glóbulos rojos, por lo que es indispensable para el equilibrio de la fórmula sanguínea.

El ácido fólico se encuentra muy repartido en la naturaleza, sobre todo en las hojas verdes de las plantas (de ahí su nombre), siendo mayormente abundante en las espinacas, el trébol, etc.; en el germen de trigo, los espárragos, las setas, los huevos, etc., y también lo sintetizan las bacterias intestinales, razón de que muchas veces se tenga carencia de esta vitamina a causa de la destrucción de dichas bacterias por los antibióticos y sulfamidas que se ingieren como medicamentos.

La *vitamina B_{12}* o *L_2* o *Cobalamina* es otra vitamina antianémica, íntima colaboradora de la B_6, con la que se complementa en la formación de los glóbulos rojos de la sangre. También interviene en el metabolismo de las grasas e indirectamente en el control de la tasa de colesterol.

Se encuentra en la levadura de cerveza, la leche, la yema de huevo y, muy especialmente, en el hígado, que es el encargado de almacenarla. En cambio falta por completo en toda clase de vegetales.

Dentro de este complejo vitamínico B se integran también varias otras que no mencionamos, no por carecer de importancia, sino porque su utilidad para el organismo no tiene nada que ver con el tema que nos ocupa, o bien porque sus propiedades son todavía poco conocidas.

En este último caso se halla, por ejemplo, la *vitamina B_{15}* o *ácido pangámico*, del que investigadores soviéticos afirmaron hace muy pocos años que además de eliminar la fatiga (lo que sí está comprobado, hasta el punto de que muchos deportistas lo toman para «doparse» sin que en realidad pueda decirse que lo hacen), también aumenta la resistencia del corazón ante la falta de oxígeno; pero de momento no sabemos que existan pruebas suficientes para poder afirmarlo con toda seguridad.

La vitamina C

En realidad se halla constituida por dos vitaminas distintas, la C_1 o *ácido ascórbico* y la C_2 o *esculosida*.

El ácido ascórbico es muy conocido por su acción sobre el escorbuto, una de las enfermedades tradicionales de avitaminosis, y la esculosida posee un efecto protector sobre los capilares sanguíneos, cuya resistencia refuerza notablemente.

La vitamina C está muy ampliamente repartida en el reino vegetal, especialmente en los cítricos, como el limón, la naranja, la mandarina, etc., así como en las fresas, los berros, la col, los pimientos verdes, el perejil...; la lista sería interminable.

No obstante, hay que tener en cuenta que se destruye con gran facilidad y es muy soluble en agua, por lo que en los alimentos cocidos la que no se destruye con la cocción queda en el caldo. Por otra parte, cuando las verduras se trocean antes de ponerlas en remojo, pierden todo su contenido en vitamina C. Para evitarlo, deben remojarse las hojas enteras y no trocearlas hasta el momento de usarlas.

Su principal función es la de mantenernos en forma, ya que combate la fatiga, aumenta la resistencia a infecciones y enfermedades, transporta el oxígeno colaborando en la alimentación de todas las células del organismo, favorece la curación de las heridas y regulariza el tono cardiaco, muscular e intestinal.

De este breve resumen sobre las vitaminas queremos destacar la importancia de dos productos: los cereales integrales y la levadura de cerveza; los primeros como alimento completo por todos los conceptos, y la segunda como un maravilloso complemento vitamínico en todos los casos en que las necesidades del organismo sean superiores a las normales, como ocurre con la arteriosclerosis y sus consecuencias.

Y sin embargo, los asiáticos se alimentan básicamente de arroz descascarillado y los occidentales de trigo refinado, y no digamos de las escasas frutas que se consumen, después de cuidadosamente mondadas y descorazonadas, olvidando que la mayoría de las vitaminas se encuentran en la piel.

Deseamos hacer hincapié en el hecho de que apenas existen vitaminas —cuando existen— en la mayor parte de las conservas, tanto animales como vegetales, en el azúcar refinado, en la leche hervida e incluso pasteurizada o esterilizada, en el chocolate, el arroz descascarillado, los aceites vegetales refinados, la margarina, los extractos de carne y los caldos concentrados, las harinas refinadas y sus derivados (pan blanco y pastas de sopa)... Y cuando existen (como en los cereales tostados y azucarados que se están poniendo de moda para el desayuno) son vitaminas sintéticas añadidas a posteriori y que jamás serán iguales a las naturales, por más que se diga lo contrario.

Afortunadamente, se está empezando a producir una sana reacción contra las legumbres y frutas artificiales que nos obligan a comer, hinchadas de agua y abonos químicos, tan gordas y hermosas como desprovistas de sabor y vitaminas, y tan distintas de las cultivadas «como antes»... Éstas sí que eran (y son, cuando se consiguen) consistentes y abarrotadas de vitaminas...

Tampoco hay que olvidar que con el calor, la cocción y el agua se eliminan muchas vitaminas, la primera la C, y luego las B_1, A, B_2...

Sin contar con que las más consistentes, como la E, también se destruyen por la luz y la oxidación, de tal forma que el mejor germen de trigo, liofilizado y conservado en un frasco transparente y a plena luz, al poco tiempo ya carece de dicha vitamina.

Pero aún hay más: ciertos «alimentos» y productos, como el maíz, la clara de huevo cruda, el alcohol, etc., inmovilizan o destruyen la mayor parte de las vitaminas; las sulfamidas y los antibióticos destruyen la flora intestinal, necesaria para su asimilación, la «píldora», si bien aumenta el porcentaje de vitamina A, disminuye el de las B_6, B_9, B_{12} y C; el tabaco destruye la C, la aspirina la B_5, el piramidón la B_6... Podríamos seguir citando muchos más productos o medicamentos que se consumen caprichosamente sin pensar que producen una carencia de vitaminas que nunca debería existir, dada la abundancia de las mismas en la naturaleza.

Por otra parte, tampoco hay que caer en el extremo opuesto de pensar que las vitaminas lo curan todo. Las vitaminas son tan necesarias como puedan serlo las proteínas o las grasas y, al igual que ellas, tan perjudicial puede llegar a ser su carencia como su exceso.

Lo que importa es procurar que nunca falte en la alimentación un suplemento de las mismas en forma de levadura de cerveza o germen de trigo y de frutas frescas, ya que con su ayuda puede evitarse la arteriosclerosis o, si ya existe, mitigar sus consecuencias, pero sin olvidar que para ello también es necesaria la colaboración de otros factores, algunos citados y otros que citaremos más adelante.

8

Las sales minerales

Aun cuando las sales minerales no constituyen principios nutritivos en la acepción normal de la palabra, no por ello dejan de ser indispensables para la salud, ya que siquiera sea en muy pequeñas cantidades participan en la formación de los músculos, la sangre, el esqueleto, los nervios, en fin, de todo el cuerpo. Si en la alimentación existe escasez de las mismas, el organismo se resentirá y se presentarán diversas manifestaciones patológicas que se engloban bajo el común denominador de enfermedades carenciales.

Las carencias absolutas son muy raras, incluso cuando la alimentación es muy desequilibrada, pero las insuficiencias son mucho más frecuentes de lo que cabría pensar; por citar un ejemplo diremos que incluso en el mundo occidental, y en los países de más alto nivel de vida, la mayoría de las personas presentan insuficiencias más o menos graves de calcio o magnesio.

Algunos de estos elementos son necesarios para reparar las pérdidas orgánicas de los mismos (calcio, sodio, fósforo, azufre, potasio, hierro, magnesio y cloro), y por eso se requieren en mayores cantidades; otros en cambio (cobre, zinc, silicio, yodo, etc.) sólo se utilizan como catalizadores, y basta con una pequeñísima cantidad, tan pequeña que en ocasiones ha resultado muy difícil descubrir su existencia y utilidad.

El equilibrio ácido-alcalino

Cuando la alimentación es pobre en sales minerales, uno de los primeros efectos que se produce es el de romper el equilibrio ácido-básico de la sangre, lo que bioquímicamente se llama el pH sanguíneo, que de ser ligeramente alcalino (pH 7,34) en la salud perfecta pasa a convertirse en ácido, lo que altera todo el metabolismo y es el primer y más importante paso para llegar a la enfermedad.

La dieta ordinaria, a base de productos cárnicos, harina blanca y sus derivados, azúcar blanco y golosinas y sal refinada, y al mismo tiempo pobre en frutas y verduras, es deficiente en elementos alcalinos y protectores, mientras que contiene un exceso de acidez y de estimulantes.

La solución nunca puede ser sencilla (por ejemplo, ingerir luego productos alcalinos para restablecer el equilibrio), ya que la reacción que importa no es la que nos indica el paladar o la que se produce en el estómago, sino la reacción final, la que resultará al metabolizarse el alimento.

El zumo de limón, por ejemplo, es de reacción ácida, tanto por su sabor como por sus propiedades, pero en cambio, al metabolizarse, el ácido orgánico que contiene es quemado y reducido a agua y anhídrido carbónico, y las sales minerales que le acompañan son las que quedan libres para ejercer su poderoso efecto alcalinizante.

A este fin tampoco nos sirve la composición química del producto, ya que si bien los metales (sodio, potasio, calcio, etc.) deben considerarse como alcalinos químicamente y los metaloides (azufre, fósforo, cloro, etc.) como ácidos, en la práctica todos estos elementos los consumimos bajo la forma de sales minerales neutras, algunas de las cuales luego serán de efectos acidificantes (el cloruro sódico o sal común, por ejemplo), mientras que otras resultarán alcalinizantes (el cloruro potásico, por ejemplo).

Así pues, para decir que un tipo de alimentación es de efectos acidificantes o alcalinizantes nos basamos en su influencia sobre la reacción urinaria, ya que los riñones se esfuerzan constantemente en mantener el equilibrio ácido-básico, razón por la cual la orina resultará ácida o alcalina según la dieta seguida. Es un hecho comprobado que la orina resultante de una alimentación cárnica es de reacción ácida, mientras que la alimentación vegetariana produce orina de reacción alcalina.

Se ha dicho, y con mucha razón, que químicamente la salud se caracteriza por la alcalinidad de los humores (entendiendo por humores los fluidos orgánicos), mientras que en la enfermedad éstos son ácidos; también se añade que los humores ácidos producen un efecto excitante, tenso y contractivo, mientras que los humores alcalinos producen, por el contrario, relajación, calma y laxitud.

Debemos aclarar que no existen humores verdaderamente ácidos, pues serían incompatibles con la vida, sino humores menos alcalinos (pH inferior a 7) de lo que es normal para la perfecta salud, y que si los llamamos ácidos es por serlo en comparación con los normales, del mismo modo que llamamos alcalinos a los que lo son más de lo normal (pH superior a 7,34).

Para finalizar con este tema, diremos que los minerales no pueden ser absorbidos en forma de sales minerales inorgánicas, salvo en el caso de algunos cloruros solubles, como el cloruro de sodio o el cloruro de magnesio, sino que deben ser absorbidos en forma de sales orgánicas, tal y como se encuentran en los alimentos.

Ahora, pasemos ya a estudiar cómo actúan los principales elementos minerales y qué consecuencias se derivan de su insuficiente aporte en la alimentación, especialmente sobre la sangre y el sistema cardiovascular.

El sodio y el potasio

Es muy difícil estudiar separadamente estos dos elementos, ya que su metabolismo y papel en el organismo son opuestos y a la vez íntimamente ligados, como formando los dos polos de un mismo problema: el referente a los líquidos del cuerpo.

En último término, podemos considerar al cuerpo humano como un conglomerado de millones y millones de células que se unen y apoyan entre sí, formando los distintos tejidos, que a su vez se conjugan para dar lugar a órganos, músculos, huesos, nervios y vasos. Este enjambre celular necesita para vivir estar bañado en agua, y no en un agua cualquiera, sino en un agua cuya composición es muy estricta y debe mantenerse siempre dentro de unos límites muy concretos.

Esta agua interna que baña y compone las células del cuerpo podemos clasificarla en tres categorías distintas: el plasma (tanto el linfático como el sanguíneo, que en el fondo son un solo); el líquido intersticial, que es el líquido que circula entre las células posibilitando sus intercambios metabólicos, y cuya composición es prácticamente la misma del plasma, y el líquido intracelular, que está integrado en el protoplasma de las células y que se halla separado del líquido intersticial por la membrana celular.

Pues bien, el cuerpo de un hombre de 70 kilos de peso contiene unos 17 litros de agua, entre plasma y líquido intersticial, y el líquido intracelular supone otros 29 litros, o sea, que por el interior de nuestro cuerpo circulan unos 46 litros de agua, en cuya composición intervienen dos elementos básicos: el sodio en los 17 litros extracelulares y el potasio en los 27 intracelulares.

Ya hemos dicho que la composición de estos líquidos debe permanecer constante para posibilitar la vida de las células; por consiguiente, cualquier alteración en la cantidad de un elemento repercute en todos los demás. Así, al ingerir un exceso de sodio aumenta la necesidad de agua para diluirlo a la misma proporción del plasma, despertándose la sed; pero mientras tanto, el sodio robará agua al potasio, desplazándolo. Al beber y conseguir la dilución necesaria se restablecerán las proporciones, mas mediante un exceso de la cantidad total de líquido extracelular, que tendrá que acumularse dónde y cómo pueda, dando lugar a multitud de trastornos, entre ellos un aumento de la presión arterial y la formación de hinchazones o edemas.

Afortunadamente, los riñones están siempre dispuestos para arreglar las cosas y eliminar el agua y el sodio sobrantes, a la vez que permiten la entrada del potasio que falta, lo que restablecerá la situación anterior. Puede parecer que no ha ocurrido nada, pero lo cierto es que no ha sido así: el corazón y las arterias se han visto obligados a un trabajo y presión excesivos e innecesarios; los intercambios metabólicos se han visto perturbados; el líquido intracelular, reducido y alterado; los riñones han debido hacer horas extras... Si todo esto ocurriera una sola vez, no tendría importancia, dada la enorme capacidad de recuperación del organismo, mas si ocurre diariamente, tarde o temprano, todos los órganos afectados, sufrirán las consecuencias.

Y estas consecuencias son: arteriosclerosis, hipertensión, angina de pecho, desórdenes cardiacos y circulatorios, hidropesía, enfermedades del hígado y de los riñones... Eso sin contar una mayor tendencia a sufrir catarros, reumatismos, furunculosis, acné y toda la gama de las enfermedades alérgicas.

Todo el sodio que ingerimos penetra en nuestro cuerpo bajo la forma de cloruro de sodio —la sal común con que sazonamos nuestros alimentos—, y la cantidad que se necesita para mantener el equilibrio interno en condiciones de salud es de *medio gramo diario*. Incluso en pleno verano y con gran transpiración, las necesidades diarias de sal nunca superan los tres o cinco gramos. Por dicho motivo, todos los tratadistas actuales están de acuerdo en recomendar que no se sobrepase el máximo de cinco gramos diarios en el total de sal ingerida, y de dos gramos en caso de existir predisposición a la hipertensión. En esos dos o cinco gramos ya se considera incluida la sal que se halla en la gran mayoría de los alimentos.

En una alimentación normal carnívora sin sal, ya entran de dos a tres gramos diarios gracias a las pequeñas cantidades que contienen las carnes, los pescados y los vegetales; y en una exclusivamente vegetariana, también se alcanzaría fácilmente el gramo diario.

Por lo tanto, el problema de la sal es exclusivamente de paladar, ya que no es necesario ningún aporte suplementario a los alimentos para cubrir las necesidades de la misma. En realidad se trata de un vicio más, como el del tabaco, el alcohol, el café y tantos otros, que no necesitamos para nada y que, a pesar de saber que son perjudiciales para la salud, parece que no se pueda vivir sin ellos.

Aparte de los perjuicios citados, merece particular atención la acción descalcificadora de la sal sobre los alimentos. En efecto, al añadir sal al agua de cocción (sobre todo en el caso de los vegetales), gran parte de las sales minerales, principalmente las de calcio, son desplazadas y pasan casi íntegramente al agua; si ésta se tira, como es costumbre, junto con la misma se pierden las sales minerales.

Por dicho motivo nunca nos cansaremos de aconsejar que el jugo de cocción de las verduras se aproveche para la confección de caldos o sopas. También puede cocerse al vapor, sin agua, o al menos usar la menos posible y no añadir sal hasta después de cocidas o, mejor todavía, servirlas sin sal para que cada cual la añada a su gusto, con lo que además se conseguirá una notable reducción del consumo de sal.

Ya hemos visto que un excesivo consumo de sal es un factor de riesgo de arteriosclerosis y accidentes cardiovasculares, por lo que quienes ya sufran dichos trastornos deberán eliminarla al máximo de la alimentación, y en los casos graves, eliminar también aquellos alimentos que la contienen en proporciones relativamente elevadas, como conservas y salazones, quesos salados, pan blanco, etc., sustituyéndolos por otros pobres en sal.

Del mismo modo que un exceso de sal es nocivo para el corazón y las arterias, lógicamente también lo será la falta de potasio, dado el antagonismo fisiológico que existe entre ambos elementos y que han confirmado las experiencias realizadas alimentando a animales de laboratorio con un régimen pobre en potasio, comprobándose que no tan sólo se ve notablemente afectado su crecimiento, sino que a las pocas semanas en su corazón aparecen síntomas de necrosis.

En el hombre la carencia de potasio también afecta al sistema muscular, especialmente al corazón; no obstante, no sólo la carencia resulta nociva, sino asimismo la mera insuficiencia, cuyos primeros síntomas visibles consisten en una cierta debilidad, falta de reflejos, confusionismo mental, piel seca y músculos blandos; muchas veces la aparición de acné en los jóvenes suele coincidir con una insuficiencia de potasio, en cuyo caso basta incrementar los alimentos ricos en el mismo para eliminarlo.

De todos modos, hay que tener en cuenta que las necesidades de potasio son mucho menores que las de sodio; si para este último dijimos que podía considerarse como normal el consumo de tres a cinco gramos diarios, en cambio de potasio basta con medio gramo, el cual ya es suficientemente aportado por los alimentos, siempre que el exceso de sal no lo elimine.

Los alimentos que contienen mayor cantidad de potasio son la levadura de cerveza, el germen de trigo, las pepitas de girasol, las frutas secas (principalmente los higos), las habas, las judías, etc.; con todo, lo más aconsejable si se quiere estabilizar la relación sodio-potasio es reducir el consumo de sal de cocina y además sustituirla por sal gruesa, sin refinar, dado que además de cloruro de sodio contiene cloruros de potasio, magnesio y muchas otras sales indispensables.

Ahora bien, en verano, cuando se realizan esfuerzos violentos o se practican deportes que impliquen notable sudoración, y dado que con el sudor además de cloruro de sodio se elimina cloruro de potasio, es preciso compensar estas pérdidas, por lo que no está de más tomar una cantidad moderada de sal (uno o dos gramos) junto con algo de gluconato potásico.

El magnesio

Otro elemento indispensable es el magnesio, de extraordinaria importancia por formar parte de la composición celular, siendo indispensable para la integridad funcional del sistema neuromuscular. Una alimentación deficitaria en magnesio produce alteraciones nerviosas y musculares, debilidad ósea y lesiones renales. Agreguemos que tiene una influencia favorable en el metabolismo de los hidratos de carbono, que favorece la emisión de bilis, impide las putrefacciones intestinales, regula la tasa de colesterol y, por último, que las contracciones del corazón están reguladas por el calcio y el magnesio. Hay pues motivos más que suficientes para considerar al magnesio como indispensable para la vida y como un gran protector del corazón y las arterias.

Parece comprobado que el metabolismo del magnesio depende directamente de las glándulas tiroides y sexuales, y que también la piel participa en el mismo cuando posee suficiente aporte de irradiación solar.

El envejecimiento va siempre acompañado de un descenso en la tasa de magnesio; normalmente, a partir de los 40 años ya empieza a notarse, y en los ancianos la cantidad de magnesio presente en los testículos se halla reducida a la mitad. Ahora bien, ¿es el descenso en el nivel de magnesio un factor de envejecimiento o será el envejecimiento la causa de dicho descenso? Esta cuestión todavía no ha sido suficientemente aclarada, ya que si bien todo parece indicar que la segunda hipótesis es la correcta, se ha observado en cambio que en los casos de envejecimiento prematuro es de efectos favorables incrementar la dosis de sales de magnesio, hasta el extremo de que ciertos autores han llegado a considerar al magnesio como una panacea universal, lo que es evidentemente excesivo.

Es cierto que en la vejez aparece un déficit de magnesio, y que a partir de la edad madura es importante vigilar que la dieta contenga suficiente magnesio, del que por cierto bastan pequeñas cantidades (casi medio gramo diario). Sin embargo, no por ello es necesario acudir al consumo de comprimidos de cloruro de magnesio, a menos de tratarse de casos excepcionales, ya que en los alimentos existe el suficiente para cubrir nuestras necesidades. Téngase en cuenta que en 100 gramos de dátiles, por ejemplo, ya hay suficiente magnesio para las necesidades de un día.

Los alimentos más ricos en magnesio son los dátiles, los guisantes, las almendras, la soja, los cacahuetes, las avellanas, las nueces, el queso y los cereales.

Cinc, cromo y otros elementos

Modernamente se ha descubierto la importancia del cinc en la arteriosclerosis como consecuencia indirecta e inesperada de unas investigaciones que se estaban realizando con ratones heridos, en las que se observó que los que comieron alimentos contaminados con cinc curaban antes de sus heridas. Luego se repitió la experiencia con seres humanos, obteniendo idéntico resultado; y por último, en otra experiencia en la que se escogieron 25 personas al azar, pudo comprobarse que todos aquellos que padecían de arteriosclerosis también sufrían déficit de cinc.

La explicación podría consistir en el hecho de que las enzimas esenciales para el crecimiento y la regeneración de los tejidos poseen en su composición pequeñísimas cantidades de cinc, sin el cual se ha visto que no pueden actuar.

Algo parecido ocurre con el cromo, también presente en cantidades infinitesimales en la sangre y en las enzimas implicadas en el metabolismo humano y en la síntesis del colesterol. Y con el vanadio, al que cada día se da más importancia en la eliminación del colesterol.

Si siguiéramos estudiando el resto de los 20 elementos químicos que se hallan combinados en nuestro organismo, veríamos que prácticamente todos ellos, y a pesar de que algunos existen en cantidades tan pequeñas que casi es imposible medirlas, desempeñan siempre un papel importante en la salud, y su carencia e incluso su insuficiencia son siempre causa de enfermedad, siendo las circulatorias las más frecuentes.

Es también significativo que todos estos elementos se encuentren en proporciones más o menos similares, relativamente, en el agua marina, es decir en la que fue cuna de la vida cuando ésta hizo su aparición, lo que no deja de ser perfectamente lógico. Como es natural, la sal común sin refinar, tal y como se extrae de las salinas, contiene también los elementos en cuestión pero, como hemos dicho repetidamente, al refinarla han sido eliminados y ahora tenemos carencia de muchos de ellos.

Si queremos que no nos falten, sin tener que recurrir a medicaciones —a la larga siempre perjudiciales—, nada mejor que volver a consumir los productos que los contienen: la sal no refinada, los vegetales, los cereales completos, el azúcar de melaza, así como acostumbrarnos a incluir alguna que otra vez el pescado en la alimentación. Quienes no deseen salirse de la alimentación vegetariana deben recurrir a las algas, como hacen tantos pueblos orientales.

Lo que hay que procurar es que nunca falten las sales minerales en la alimentación.

9

Prevención y tratamiento

En las páginas que anteceden hemos realizado una exposición de cuanto conocemos sobre la arteriosclerosis, sus causas y sus consecuencias, y desearíamos —a pesar de lo complejo del tema— haber logrado hacer comprensibles a nuestros lectores los conocimientos que juzgamos indispensables para organizar un plan de ataque contra esta plaga de la civilización actual, que causa por sí sola más de la mitad de las muertes por enfermedad que se producen en todo el mundo. Antes de seguir adelante, hagamos una breve recapitulación de las conclusiones a que hemos llegado.

1. Se trata de una enfermedad de aparición precoz pero de evolución muy lenta, por lo que si se desea lograr su prevención hay que iniciar la misma antes de que aparezcan los primeros accidentes clínicos, es decir de los 20 a los 30 años.

2. En su origen intervienen muchos factores, lo que hace más difícil su prevención.

3. Analizando las experiencias realizadas hasta la fecha podemos constatar que en casi todas ellas se intenta demostrar la incidencia de un factor aislado en el origen de la arteriosclerosis y que, si bien dichas experiencias demuestran la importancia del factor investi-

gado, los resultados casi nunca son realmente concluyentes, ni pueden serlo, por la falta de control sobre los demás factores de riesgo.

4. Parece demostrado el papel decisivo del colesterol, así como la existencia de dos tipos de dicha sustancia, que de beneficiosa e indispensable para el organismo se convierte en nociva una vez utilizada, por lo que es muy posible que la clave de la arteriosclerosis resida en su proceso y no en su presencia.

5. Es mucho más peligrosa la formación de émbolos o coágulos que pueden obturar vasos sanguíneos originando infartos que las propias lesiones arterioscleróticas, dado que la reducción de la luz arterial es muy lenta y muchas veces puede compensarse mediante el desarrollo de una circulación colateral de suplencia.

6. Si analizamos los factores de riesgo llegamos a la conclusión de que todos ellos son consecuencia de unos hábitos de vida y alimentación antinaturales, con lo que los modernos investigadores no han hecho sino corroborar lo que desde tiempo inmemorial viene sosteniendo la medicina natural.

7. Es evidente que la verdadera terapéutica debe basarse en la lucha precoz contra los principales factores de riesgo, y ceñirse al respeto a las reglas higiénico-dietéticas de la medicina natural. La arteriosclerosis no es una consecuencia inevitable del envejecimiento, sino que puede y debe combatirse.

¿Puede remitir la arteriosclerosis?

Finalizada la primera guerra mundial se observó una clara remisión de las lesiones arterioscleróticas en las autopsias realizadas, mas a pesar de que el doctor Aschow expuso la idea de que ello indicaba que la arteriosclerosis podía remitir, su opinión no fue tenida en cuenta, y el hecho fue olvidado y archivado sin concederle mayor importancia hasta que al final de la segunda guerra mundial volvió a producirse el mismo fenómeno.

Entonces, comparando el resultado de las autopsias realizadas a grupos de personas fallecidas después de grandes privaciones con el de personas de edad y pesos similares pero que no habían sufrido privaciones se hizo muy patente esa distinta evolución de las lesiones, tanto en gravedad como en extensión.

En realidad, estos resultados, al igual que los obtenidos con la reducción de los accidentes clínicos al someter a grupos de enfermos a dietas reductoras del colesterol, del tabaco o de otros factores de riesgo, no demuestran que se produzcan regresiones en las lesiones, sino que es posible que tenga lugar una paralización o una mayor lentitud en su desarrollo, facilitando en consecuencia el desarrollo de una circulación colateral que supla las deficiencias más notorias de la principal.

Ya en la década de los setenta, el estudio de las arteriografías (radiografías de arterias) de una misma lesión con varios años de intervalo ha demostrado concluyentemente que en condiciones normales la arteriosclerosis muestra un inexorable avance en la gran mayoría de los casos y una estabilización en los restantes, pero *jamás una regresión.*

Ahora bien, en 1977 el doctor Barndt y sus colaboradores realizaron un estudio, visualmente y con ordenador, de unas lesiones incipientes en la arteria femoral de 25 sujetos cuya edad promedio era de unos 48 años, y en los que se trató una hipercolesterolemia en 13 casos y una lipidemia en 12 (al mismo tiempo, 8 presentaban una ligera hipertensión). Las arteriografías repetidas tras 13 meses de intervalo mostraron una progresión de las lesiones en 13 casos, una detención de las mismas en 3 casos y *una regresión significativa en 9 casos.*

Si tenemos en cuenta que en dicha experiencia se actuó sobre uno o dos factores de riesgo, como máximo, el resultado puede ser más alentador, y abre el camino a la esperanza de que un tratamiento generalizado de la arteriosclerosis en el que se incluyan el máximo posible de factores de riesgo sea capaz de permitir no sólo la estabilización de las lesiones, sino incluso la remisión de las menos graves, así como evitar la formación de émbolos y coágulos causantes de infartos. En cuanto a las lesiones muy evolucionadas, fibrosas o calcificadas, mucho nos tememos que su remisión sea muy dudosa, pero si al menos se consigue detener su evolución, la mejoría general no tardará en llegar a causa de las circulaciones de suplencia que se producen.

Como puede verse, nuestro optimismo es moderado y realista, sin caer en el pesimismo de la mayoría de los médicos actuales, que consideran que todavía no existe un tratamiento eficaz contra la arteriosclerosis, ni en el exagerado optimismo de quienes se basan en las recientes experiencias sobre animales para afirmar que todo tipo de lesiones puede remitir.

En efecto, en las últimas experiencias realizadas con perros, cerdos, monos araña, macacos, etc., se ha conseguido la remisión de todas las lesiones previamente inducidas en ellos. Sin embargo, no podemos considerar válidas dichas experiencias a causa de que las lesiones habían sido logradas sometiendo previamente a los animales a una sobrecarga de colesterol como jamás puede darse en la alimentación, por lo que las lesiones eran muy homogéneas y no habían dado ocasión a la formación de trombosis.

En este caso la remisión no puede considerarse una verdadera curación, sino una recuperación natural al cesar una agresión muy importante; además, dichas lesiones podían ser extensas mas no profundas, dado el poco tiempo que habían tenido para consolidarse. Por lo tanto, sólo podemos considerar válidas aquellas pruebas —como las del doctor Barndt— realizadas sobre pacientes humanos con lesiones cuya importancia y evolución estén plenamente comprobadas.

La prevención

Actualmente la ciencia dispone de los medios suficientes para detectar la arteriosclerosis (así como la gran mayoría de las enfermedades existentes) desde sus comienzos. Por dicho motivo la Organización Mundial de la Salud (OMS) insiste cada vez más en aconsejar que todo el mundo se someta a reconocimientos periódicos desde los primeros años de vida, a fin de detectar a tiempo las posibles enfermedades y proceder a su tratamiento precoz, que en el caso de la arteriosclerosis es el único absolutamente seguro.

A pesar de los consejos de la OMS, la mayoría de la gente prefiere desentenderse del problema, para no verse en la obligación de dictar a niños y adolescentes una serie de restricciones muy difíciles de imponer a una juventud que cada día quiere ser más libre y despreocupada.

La medicina natural opina que eso constituye un grave error, y que en realidad es una cuestión de educación; no se trata de imponer restricciones, sino de proponer a todo el mundo, jóvenes y adultos, un modelo de vida y alimentación sano y razonable con el cual no sea necesario *individualizar* las medidas restrictivas, que es cuando verdaderamente llegarían a serlo. Basta con que *todos* sigan una dieta e higiene naturales y saludables, evitándose así la aparición de aquellas enfermedades que, como la arteriosclerosis, tienen origen precisamente en una vida antinatural.

¿Cómo debe ser esta vida natural, que constituye la mejor prevención? La respuesta nos la proporciona el propio análisis de las causas generadoras de la arteriosclerosis; a grandes rasgos, debe consistir en: abandono del alcohol y el tabaco; control del peso mediante la moderación en las comidas; sustitución de las grasas saturadas por las insaturadas y del pan blanco por el integral; reducción en el consumo de la sal y del azúcar blanco; mayor consumo de frutas y verduras... En resumen, una dieta preferentemente vegetariana a la que se unirá un ejercicio físico moderado, los baños de sol controlados y el cuidado de la piel.

Y dado que la prevención y el tratamiento de la arteriosclerosis son prácticamente idénticos, y que la diferencia entre ambos consiste únicamente en el rigor con que se aplican las medidas, pasaremos de inmediato a facilitar instrucciones prácticas sobre los distintos puntos de que se componen.

Atención a las grasas

Recordemos que cuando se presenta un exceso de grasas saturadas o un déficit de insaturadas se produce un desequilibrio en el metabolismo del colesterol, con lo que éste empieza a depositarse en las paredes arteriales. En el fondo, bastaría con lograr el equilibrio entre ambas clases de grasas, equilibrio que en caso de arteriosclerosis debe romperse en favor de las grasas insaturadas a fin de facilitar la máxima eliminación del colesterol.

En su momento ya estudiamos las distintas clases de grasas, indicando que las más adecuadas para la eliminación del colesterol eran los aceites de semillas, como los de girasol, maíz, soja, sésamo, etc. El aceite de oliva virgen no sube ni baja el colesterol, pero es muy útil para otros conceptos, de manera que a menos que exista ya una elevada colesterolemia no hay por qué abandonarlo. Lo que sí se impone es abandonar toda clase de carnes grasas, embutidos, mantecas y mantequillas, principales fuentes de grasas saturadas.

¿Azúcar o féculas?

En dietética se clasifica a los alimentos en dos grandes grupos: los plásticos u organógenos (las proteínas), destinados a reponer las pérdidas que se originan en los tejidos por el natural desgaste del organismo, y los termógenos, destinados a suministrar la energía necesaria para mantener la temperatura corporal y para que nuestros músculos y órganos puedan realizar el trabajo que les exigimos. Estos últimos alimentos son los hidratos de carbono y las grasas.

Siguiendo con los alimentos termógenos —ya hemos hablado de las grasas—, nos ocuparemos ahora de los hidratos de carbono, que a su vez se dividen en féculas y azúcares.

Cuando comemos féculas, sean de la clase que sean, o azúcares, los descomponemos y los reconvertimos en azúcares más simples, para ser reducidos en última instancia a glucosa, que es la forma en que el organismo puede asimilarlos.

La cantidad de glucosa disuelta en la sangre para su posterior utilización no puede sobrepasar el uno por mil, y es aquí donde interviene el hígado, que convertirá el exceso de glucosa presente en la sangre después de las comidas en una especie de almidón humano llamado glucógeno y en grasas saturadas. Estas sustancias quedarán almacenadas en el mismo hígado y un poco por todas partes, para su posterior utilización cuando el aporte de calorías sea insuficiente, en cuyo momento serán utilizadas para compensar dicha deficiencia.

Por lo tanto, no basta con controlar las grasas en nuestra dieta, sino que también hay que controlar las féculas y los azúcares, si queremos evitar que éstos se conviertan en grasas indeseables.

Pero aún hay más: la asimilación de las grasas se realiza bajo la influencia de la insulina, que a su vez es segregada ante la llamada de la glucosa. Si ésta ha sido suministrada en la alimentación a base de sacarosa (azúcar blanco), su asimilación es mucho más rápida que la de las grasas, lo que origina que cuando las grasas la necesitan ya es insuficiente o no existe.

En cambio, si los hidratos de carbono que deben reducirse a glucosa han sido suministrados en forma de féculas, su degradación hasta llegar a glucosa se realiza muy lentamente y de forma paralela al metabolismo de las grasas.

De ello se desprende que es mejor consumir féculas y dejar los azúcares para las raras ocasiones en que es necesario un aporte energético de choque, como ocurre al practicar algún deporte.

De nuevo debemos insistir en que el aporte de féculas debe ser a base de cereales integrales, en lugar de harinas refinadas, para aprovechar así su importantísimo aporte en vitaminas y sales minerales, que de otra forma se desperdician, repercutiendo su falta en el organismo.

La celulosa

Otro motivo para consumir los cereales integrales radica en su aporte de celulosa, materia que hasta no hace mucho se consideraba indeseable, pero que modernamente se está rehabilitando gracias a que se ha comprobado que contribuye a la digestión de dos maneras distintas.

En primer lugar, si las féculas deben digerirse en un entramado de celulosa, como ocurre con los cereales integrales o las leguminosas, su digestión todavía es más lenta, y mejora si cabe la asimilación de las grasas. Por el mismo motivo posibilita que la asimilación de los azúcares contenidos en las frutas sea mucho más lenta y no presente los inconvenientes de la sacarosa y sus derivados.

Por otra parte, en toda dieta bien equilibrada debe existir suficiente cantidad de materias no digeribles —teniendo cuidado que no sean tóxicas ni putrescibles— para que al finalizar la digestión quede una masa residual que actúe como estimulante mecánico de la evacuación intestinal y al mismo tiempo arrastre a los demás residuos tóxicos. La materia más adecuada para realizar esta función es la celulosa, elemento constitutivo de la cascarilla o salvado de los cereales, aparte de constituir la base de la mayoría de los vegetales.

Cuando no existe celulosa en la dieta el tránsito de los residuos intestinales es muy lento a causa de su poca masa (en una persona de alimentación predominantemente carnívora la masa fecal oscila entre los 100 y los 125 gramos diarios, mientras que con una alimentación vegetariana se llega fácilmente a los 400 o 500 gramos), calculándose que tardan unas 60 horas en realizar su recorrido, en lugar de hacerlo en 24 horas, que es el tiempo normal.

Como es natural, con un tránsito tan lento de los residuos alimenticios el intestino tiene tiempo de absorber muchos de los productos tóxicos que debían ser eliminados; por eso se considera al estreñimiento como una de las secuelas más nocivas que puede acarrear la mala alimentación a la que estamos acostumbrados.

Las proteínas

Se ha discutido mucho sobre si las proteínas animales son mejores o peores que las vegetales, lo que me parece una manera errónea de enfocar el problema. En el organismo humano toda clase de proteínas, ya sean vegetales o animales, deben ser descompuestas en sus componentes esenciales, los aminoácidos, a partir de los cuales vuelven a recomponerse en forma de proteínas humanas.

Son por lo tanto los aminoácidos los que cuentan, y no su origen. Ahora bien, doce de ellos son indispensables para nosotros, hallándose presentes todos ellos en la carne y en el pescado, mientras que en los vegetales siempre falta alguno. Ello carece de importancia si se procura que la ingestión de proteínas vegetales sea de variada procedencia, cosa fácil de conseguir si a la ingestión de legumbres, por ejemplo, se añade la de una cierta cantidad de pan integral.

Lo que sí tiene importancia es que en la carne las proteínas suelen ir acompañadas de una cierta cantidad de grasas saturadas —que ya hemos visto que eran perjudiciales— y de purinas, cuyo metabolismo genera abundante ácido úrico, un verdadero veneno que además de ser un poderoso acidificante de la sangre suele depositarse en forma de diminutos cristales un poco por todas partes, siendo la causa de numerosas dolencias de tipo reumático. En las arterias su acción irritante es notoria, y sus cristales colaboran en la arteriosclerosis.

Así pues, si se consume carne debe escogerse cuidadosamente, desechando las demasiado grasas y las vísceras. Las más adecuadas y que pueden consumirse sin el menor problema son las magras de buey, ternera, caballo y conejo. El cerdo y todos sus derivados de charcutería deben ser totalmente eliminados; del cordero sólo es óptima la pierna y las costillas, el resto contiene demasiada grasa; el pollo también es muy bueno, pero deben eliminarse las vísceras y la piel, que es donde se acumulan las purinas y la mayoría de las grasas.

Los pescados también constituyen una buena fuente de proteínas, aunque eliminando también las vísceras y la piel; los moluscos, especialmente las ostras, además de contener escasas pero excelentes proteínas, son ricos en sales minerales difíciles de hallar en otras procedencias. Los crustáceos, en cambio, deben eliminarse totalmente por su elevado contenido en purinas.

Así pues, desde un punto de vista médico y dietético, la carne, el pescado y los moluscos, consumidos con moderación, son una excelente fuente de proteínas, y si se repudia su consumo es por razones de conciencia que no expondremos en esta obra. Desde el punto de vista vegetariano, se considera que lo mejor es el consumo de proteínas vegetales (procurando que sean variadas y haciendo hincapié en la soja, llamada carne vegetal), a las que se deben añadir las contenidas en los huevos y la leche, así como en sus derivados.

En caso de arteriosclerosis la leche debe consumirse descremada y los quesos deben ser frescos y sin salar; en cuanto al requesón, el yogur y similares, consideramos que es la manera ideal de consumir lo mejor de la leche sin ninguno de sus inconvenientes, y no olvidemos que su contenido en calcio es totalmente insustituible.

Los huevos deben consumirse cocidos, ya que la clara cruda es de difícil asimilación; con todo, hay que consumirlos con moderación ya que, si bien son ricos en vitaminas y sales minerales, contienen también colina, una sustancia productora de colesterol.

Vitaminas y sales minerales

Después de cuanto llevamos dicho poco podemos añadir ahora, como no sea recalcar la necesidad de consumir aquellos productos que las contienen en cantidad, como son los cereales integrales, el germen de trigo, la levadura de cerveza, el azúcar moreno y la miel, así como la sustitución de la sal refinada por la gruesa y sin refinar.

Resumen

Ya dijimos que las diferencias entre la prevención y el tratamiento de la arteriosclerosis sólo consistían en la mayor o menor severidad del régimen; en base a ello facilitamos a continuación un resumen de aquellos productos que deben ingerirse con mucha moderación en la prevención y ser totalmente erradicados en el tratamiento.

Conservas
Crema de huevos y flanes
Crustáceos y mariscos
Condimentos fuertes
Alcohol
Vinagre
Embutidos y fiambres
Foie-gras
Manteca
Pescado azul
Chocolate y cacao
Tabaco
Carne de cerdo
Aves de corral (excepto pollo)
Cordero (excepto pierna y costillas)
Vísceras animales (hígado, riñones, sesos)
Quesos salados y secos (parmesano, holandés, manchego)
Alimentos salados (anchoas, arenques, bacalao, aceitunas rellenas). Y la sal en todas sus formas.

Tanto en la prevención como en el tratamiento, puede permitirse, aunque con moderación:

Pescados blancos (lenguado, merluza, salmonete, etc.)
Huevos
Carnes magras (ternera, pollo, vaca, conejo)

Se recomienda en todos los casos:

Pan integral
Germen de trigo
Legumbres
Verduras
Leche descremada
Requesón
Levadura de cerveza
Frutas frescas
Toda clase de ensaladas
Setas
Yogur y similares
Quesos frescos sin salar

En todos los casos es necesaria una correcta y minuciosa masticación de los alimentos; abstenerse de beber agua durante las comidas, o al menos hacerlo con gran moderación; eliminar al máximo los fritos y las salsas; abstenerse de los azúcares y golosinas, usando miel o azúcar moreno para endulzar, y aprovechar todos los caldos de legumbres y verduras.

Por último, recordar que la prevención mediante la dieta debe hacerse, no a partir de los 50 años, como suele aconsejarse, sino desde la infancia, porque los hábitos adquiridos son los que marcan la alimentación que seguiremos el resto de nuestra vida, y lo ideal es que desde un principio los hábitos alimenticios sean lo más saludables posible.

La idea básica es la de no engordar y, por lo tanto, la dieta debe ser un poco en este sentido, moderando la cantidad de los alimentos. El exceso de peso lleva a la hipertensión, a la diabetes y a la arteriosclerosis.

10

Agua, sol y aire libre

Ya hemos visto —y todo el mundo está de acuerdo en ello— que lo más importante para la salud del corazón y las arterias es una buena dieta y mantener el peso normal. No obstante, desde hace algún tiempo está empezando a calar con fuerza la comprensión del profundo beneficio que se desprende de un ejercicio físico suave, rítmico y regular, como el *jogging*, o el simple caminar cuando la salud no consiente otra cosa.

El jogging y la marcha

El *jogging* consiste en correr muy lentamente hasta sentirse un poco fatigado, o notar que empieza a faltar el aliento; entonces se interrumpe la carrera y se sustituye por la marcha, lo que constituye un descanso suficiente para recuperar el aliento y poder reemprender la carrera hasta volver a sentirse fatigado, y así sucesivamente. Este sistema tiene la ventaja de no llevar nunca al agotamiento y permitir una mayor duración del ejercicio, que puede graduarse de acuerdo con las posibilidades de cada cual.

Si hace mucho tiempo que no se hace ejercicio, o si la arterios-clerosis está avanzada, hay que empezar por el simple caminar, a ser posible muy lentamente por un terreno llano, y más adelante cada vez un poco más aprisa y un poco más lejos, hasta conseguir hacer caminatas de una hora y por toda clase de terrenos, a un paso normal y sin sentirse demasiado fatigado.

Nunca debe decidirse la clase de ejercicio a realizar —marcha o *jogging*— sin que sea el médico quien lo aconseje, dé las instrucciones precisas y supervise los primeros ejercicios. Y si el delicado estado de salud hace necesario empezar por la marcha, tampoco debe olvidarse que al menor síntoma de cansancio es necesario detenerse a descansar y no reanudarla hasta que la respiración y el ritmo cardiaco se hayan normalizado.

El período de tiempo que debe destinarse a la marcha o al *jogging* es muy aleatorio; por lo general se aconseja empezar con unos diez o quince minutos al día e ir prolongando su duración poco a poco hasta alcanzar una hora. Creemos que no existe mejor reloj que nuestro propio cuerpo; si le prestamos la debida atención y nos olvidamos de querer batir nuestros propios récords, será él quien nos indique si debemos parar o si todavía podemos seguir un poco más. Del mismo modo, si se ha empezado por la marcha, también nuestro cuerpo nos indicará cuándo estamos en condiciones de pasar al *jogging*, aun cuando siempre deberá consultarse antes al médico, dado que cada paciente es un caso distinto, y sólo el médico puede saber con exactitud cuales son las verdaderas posibilidades físicas de cada cual.

Una actividad física adecuada a estas posibilidades constituye a la vez una profilaxis y una terapéutica para la arteriosclerosis, dado que la falta temporal y benigna de oxígeno que provoca el ejercicio físico es uno de los mejores vasodilatadores que se conocen, al provocar el ensanchamiento de los vasos sanguíneos. Además, al viajar la sangre mucho más aprisa por las arterias permite una mayor y más eficaz eliminación de los residuos tóxicos del metabolismo celular, al mismo tiempo que se mejora la elasticidad de las arterias.

Esta mejora de la circulación se ve todavía incrementada por la apertura de zonas de capilares que permanecían prácticamente inactivas con la vida sedentaria; y en aquellos lugares en que exista alguna arteria tan esclerosada que dificulte la correcta circulación, se favorece el desarrollo de una circulación colateral complementaria. Al mismo tiempo, el movimiento muscular masajea a los vasos sanguíneos, masaje que será tan útil a los que ya presentan síntomas de arteritis como a los varicosos.

Otra de las ventajas del *jogging* y de la marcha, cuando se practican correctamente, es que provocan la transpiración, y no debemos olvidar que la piel del arterioscleroso casi siempre suele estar seca y anémica, con las glándulas y vasos sanguíneos cutáneos contraídos y débiles por falta de uso. El ejercicio físico vuelve a ponerlos en actividad revitalizando la piel, y no debemos olvidar que ésta, además de ser un órgano eliminador, constituye una verdadera glándula de secreción interna y externa.

La piel

Hasta no hace mucho se consideraba a la piel como una simple cubierta protectora del cuerpo, pero se ha ido descubriendo que además de eso se trata de uno de los órganos más grandes, importantes y complicados. En efecto, se calcula que la piel pesa por término medio unos diez kilogramos, aloja innumerables terminaciones nerviosas sensibles al calor, al frío, al dolor y al tacto, desempeña un importante papel en la regulación del calor corporal y segrega más de 500 gramos diarios de sudor (se considera que como órgano excretor equivale a medio riñón), aparte de cantidades variables de sebo y de vitamina D. Se ha comprobado que la vitamina D es al mismo tiempo una hormona muy compleja compuesta por cinco formas de calciferoles, algunas de las cuales todavía no han sido completamente estudiadas. Tanto con la producción de calciferol como con la de melanina (que da color moreno a la piel), esta vitamina contribuye al metabolismo y eliminación del colesterol.

El calciferol

A la vitamina D, o calciferol, o calciferona, se la ha considerado como la vitamina de los huesos, por ser indispensable para la fijación del calcio; su carencia es causa del raquitismo en los niños y la descalcificación en los adultos.

Actualmente es muy difícil que se produzca el raquitismo, excepto en niños nacidos a finales de verano o principios de otoño y que pasan sus primeros cinco o seis meses de vida sin ver el sol. En cambio, es muy frecuente que se presenten insuficiencias de calciferol, tanto en los niños como en los adultos. En los primeros, la mayoría de los problemas de la dentición y de caries prematuras, así como la deformación más o menos acentuada de las piernas o brazos, son debidos a dicha deficiencia; y entre los adultos tiene el mismo origen esa extrema fragilidad de los huesos que propicia la producción de fracturas a veces inconcebibles.

Las fuentes más importantes de vitamina D son el hígado de pescado, la yema de huevo y la leche no pasteurizada, pero entre los vegetales puede decirse que no existe, ya que tan sólo se presenta en el cacao. En realidad su verdadera fuente reside en nuestra piel, que la sintetiza a partir del colesterol gracias a la acción de los rayos ultravioleta del sol. Claro está que para ello es necesario exponer el cuerpo al sol por lo menos durante media hora diaria.

No obstante, la verdadera importancia del calciferol, y lo que hace que se le considere como una hormona, es su acción sobre las demás glándulas endocrinas, que como sabemos son interdependientes; en el caso concreto de la piel, ésta se halla íntimamente ligada en primer lugar con las glándulas sexuales, y luego con la hipófisis, la tiroides, la paratiroides y las suprarrenales.

Nos es imposible detenernos a explicar el complejo mecanismo que relaciona entre sí dichas glándulas y las innumerables complicaciones que desencadena en el organismo la deficiencia de calciferol, pues el tema es muy complejo y de difícil exposición. Nos limitaremos a indicar que en todos los casos de degeneración biológica avanzada siempre existen alteraciones en la hipófisis y las glándulas sexuales, e incluso se ha comprobado que la aparición de tumores patológicos va precedida de lesiones de la tiroides, la paratiroides y las suprarrenales. Tampoco debemos olvidar que la acción conjunta de todas estas glándulas endocrinas, ligada a la acción del calciferol, tiene una influencia decisiva en la reproducción celular.

Creemos que con todo esto queda suficientemente demostrada la necesidad del cuidado de la piel, cuidado que se apoya esencialmente en dos medidas: la limpieza y cepillado de la piel y los baños de sol.

Limpieza y cepillado de la piel

Al tratar de la limpieza del cuerpo, lo primero que hay que tener en cuenta cuando se padece de arteriosclerosis es que tanto el agua caliente como el agua fría pueden resultar muy peligrosas, y que por lo tanto debe realizarse siempre con agua templada. No hay que olvidar que la norma más importante para quien sufre arteriosclerosis o hipertensión es la de no realizar ningún tratamiento enérgico con el agua, a menos que se lleve a cabo bajo rigurosa supervisión médica.

Aclarado este punto que consideramos de vital importancia, diremos que para la limpieza general de la piel no existe nada que pueda igualarse al lavado con agua caliente jabonosa aplicada con una esponja (que no comporta el peligro del baño), seguido de un aclarado también con agua caliente y esponja, una rápida pasada con agua a temperatura normal y, finalmente, una vigorosa fricción con una toalla seca, un guante áspero de baño o, lo que es mejor, un cepillo. Todas estas operaciones deberán realizarse con el cuarto de baño, o la habitación, bien templado y a cubierto de posibles corrientes de aire.

Cuando la piel es muy delicada, será mejor que las primeras veces la fricción se haga con la toalla; conforme se vaya endureciendo se cambiará la toalla por el guante de baño y, más adelante, se sustituirá éste por el cepillo.

Con el cepillado, además de desalojar las células muertas que ahogaban la piel disminuyendo su resistencia, ésta enrojecerá a causa del notable incremento de la circulación cutánea, con lo que se vigorizará y aumentará progresiva y considerablemente en resistencia, elasticidad, tersura y belleza.

Los baños de sol

Sin embargo, no basta con fortalecer la piel, también es necesario utilizar su poderosa acción transformadora del colesterol, con lo que a la vez que se rebaja la hipercolesterolemia se aporta al organismo los inmensos beneficios del calciferol. Y para ello es absolutamente necesario someter la piel a la acción de los rayos solares.

Si se realizan de una manera racional, los baños de sol son pues de inestimable valor, mas para ello deben seguirse algunas normas a fin de evitar que se produzcan reacciones contraproducentes cuando el sistema circulatorio no está en óptimas condiciones.

Por lo general se empezará exponiendo las extremidades inferiores a la acción de los rayos solares por espacio de cinco minutos, y cada día se irá aumentando progresivamente la superficie expuesta a la insolación.

Para una mejor comprensión de cómo debe efectuarse esta dosificación de los baños de sol, hemos creído de interés reproducir en la figura 8 el esquema de Rollier, en el cual están claramente expresados los tiempos y las zonas de exposición al sol.

Según este esquema, y teniendo en cuenta que debemos doblar los tiempos al exponer primero el plano delantero del cuerpo y repetir luego el proceso con el posterior, el tiempo máximo de exposición es de dos horas, dosis de insolación que no debe sobrepasarse bajo ningún concepto, antes al contrario, siempre es mejor consultar primero al médico si es posible llegar a ese tiempo.

A pesar de seguir estas dosificaciones, deberá cuidarse de que la cabeza nunca permanezca descubierta al sol, además de vigilar la posible aparición de alteraciones o trastornos variados de carácter general,

Días	Tiempo en minutos				
1.º	5				
2.º	10	5			
3.º	15	10	5		
4.º	20	15	10	5	
5.º	25	20	15	10	5
6.º	30	25	20	15	10
7.º	35	30	25	20	15
8.º	40	35	30	25	20
9.º	45	40	35	30	25
10.º	50	45	40	35	30
11.º	55	50	45	40	35
12.º	60	55	50	45	40
13.º	60	60	55	50	45
14.º	60	60	60	55	50
15.º	60	60	60	60	55
16.º	60	60	60	60	60

8. Esquema de Rollier.

como palpitaciones, vértigos, molestias respiratorias, etc., fenómenos que indicarían la existencia de una intolerancia a los rayos ultravioleta del sol. También es conveniente cuando se padece de arteriosclerosis y son de temer posibles complicaciones cardiacas cubrir la región precordial a fin de evitar la acción directa de los rayos solares.

Los baños de sol, de luz y de aire

Cuando el estado de salud es delicado y resulta peligroso exponerse directamente a la insolación, pueden sustituirse los baños de sol por los de aire y luz, en los cuales en vez de someter el cuerpo desnudo a la acción directa de los rayos solares se le somete a su acción indirecta, situándose en una sombra inmediata a los mismos.

A pesar de que estos baños no encierran los peligros de los baños directos, es conveniente adoptar algunas precauciones y proceder con tiempos similares a los anteriormente indicados, es decir empezar por cinco minutos el primer día y aumentar otros cinco cada día consecutivo. En este caso no existe una limitación de tiempo sobre la duración total a que puede llegarse, y los beneficios son prácticamente los mismos, tanto en vigorización general del cuerpo como en la producción de calciferol y el control del colesterol.

Si se notara fresco mientras se está tomando el baño de luz y aire, se debe salir a pasear bajo el sol directo hasta que se inicie la sensación de calor, momento en el que debe volverse a la sombra, con lo que se realiza una especie de baño mixto que ha sido llamado «baño en acordeón», y que reúne los beneficios del sol, de la luz y del aire.

11

Los accidentes clínicos

Dada la gravedad de los accidentes clínicos provocados por la arteriosclerosis —cualquiera que sea su localización—, el tratamiento de los mismos compete única y exclusivamente al médico, puesto que en esos momentos la menor imprudencia puede tener fatales consecuencias.

Aun siendo plenamente conscientes de lo que antecede, hemos decidido escribir este capítulo porque quienes padecen de arteriosclerosis sin haber sufrido ningún accidente clínico, o se están recuperando de la primera crisis, suelen ser víctimas de un temor exagerado ante el futuro, esperando angustiados que la próxima sea la definitiva. Y la verdad es que ese temor y esa angustia son mucho más peligrosos que la propia arteriosclerosis. Muchos accidentes mortales se habrían evitado de haber conservado la calma y la serenidad que concede el conocer el verdadero alcance y gravedad de su mal, y cuáles son las precauciones que se deben tomar en aquellos momentos críticos.

En efecto, cuando se presenta una crisis de angina de pecho, quien ignora de lo que se trata se siente invadido de tal angustia y temor, siente tan cercana la muerte, que muchas veces en lugar de permanecer quieto corre angustiado en busca de auxilio, y ese extremado esfuerzo solicitado a un corazón carente precisamente del oxígeno necesario basta para convertir en infarto lo que era tan sólo una angina de pecho que se habría solventado por sí misma. Y lo mismo suele ocurrir cuando el terror ocasiona la contracción espasmódica de las coronarias.

En la introducción a este libro decíamos que la medicina alopática es una medicina de urgencia de inestimable valor para quienes no saben o no pueden vivir de acuerdo con las leyes de la naturaleza; pues bien, cuando llega una angina de pecho, un infarto o una apoplejía, nos hallamos ante una urgencia de este tipo, que hay que tratar de superar como sea.

Si se hubiera vivido de acuerdo con las leyes de la naturaleza, si se hubiera puesto en práctica cuanto hasta ahora llevamos dicho, no se habría llegado a esta grave isquemia provocada por la arteriosclerosis. Del mismo modo, si una vez superada la crisis se siguen la dieta y el régimen de vida propugnados, en la gran mayoría de los casos se podrá evitar que siga empeorando el estado de las arterias y llegar a centenario a pesar de la arteriosclerosis.

Para conseguir esto es más importante el papel del paciente que el del propio médico; de nada sirve que este último prohíba la sal o las grasas, por ejemplo, si luego el paciente no sabe resistir la tentación de una cerveza con anchoas o una buena chuleta de cerdo con toda su grasa, por aquello de que por una vez... O si sigue fumando, aun cuando sólo sean tres o cuatro cigarrillos diarios. Pero veamos qué es lo que debe hacerse en cada caso concreto.

En caso de angina de pecho

El ataque suele presentarse bruscamente, si bien en raras ocasiones puede ir precedido de algunas molestias, y su causa desencadenante acostumbra a ser una excitación nerviosa o emocional, una comida abundante, un esfuerzo excesivo, un cambio brusco de temperatura, o cualquier otra cosa que requiera un incremento en la actividad del corazón o pueda desencadenar una descarga de adrenalina que imponga al mismo un mayor consumo de oxígeno, que unas coronarias esclerosadas son incapaces de suministrar. Si no se hace nada para cortarlo, su duración puede ser muy variable, oscilando desde unos pocos minutos hasta varias horas, o incluso todo el día.

Cuando se presenta el ataque lo más importante es conservar la calma, considerando que a pesar del dolor y la angustia no ocurre nada irreparable y que la crisis pasará pronto. Se debe permanecer absolutamente inmóvil; en lugar de asustarse y correr en busca de ayuda, ésta debe solicitarse sin el menor reparo —pero sin moverse del sitio— a la primera persona que se acerque, rogándole le acompañe a casa o a un centro asistencial en taxi, o que al menos acuda a la farmacia más próxima en busca de nitrito de amilo o algún sustitutivo del mismo. Dicho producto dilata las arterias coronarias, mejorando el aflujo sanguíneo y con él el aporte de oxígeno al músculo cardiaco, con lo que en pocos segundos queda truncado el ataque anginoso.

Una vez en casa, se mejorará todavía más la situación si se colocan los brazos hasta el codo en un barreño de agua caliente (a unos 40 °C) durante cinco minutos, lo que al dilatar las arterias superficiales de los mismos provocará una acción refleja similar sobre las coronarias. De considerarse necesario, puede repetirse esta operación varias veces.

En lo sucesivo, y en prevención de nuevos ataques, será conveniente llevar siempre encima algún fármaco a base de nitritos para usarlo cuando se considere que existe peligro de ataque por deber realizar algún esfuerzo o cualquier otro acto peligroso. Con todo, es preciso tener en cuenta que estos fármacos no curan nada, sino que se limitan a aliviar una situación urgente, casi siempre a costa de efectos secundarios desagradables, como dolores de cabeza, vértigos, palpitaciones, rubor facial, etc.; al mismo tiempo, el cuerpo se va acostumbrando a la droga y cada vez se requieren dosis mayores y más frecuentes, con el peligro de que en un caso extremo lleguen a ser inoperantes.

La medicina natural sostiene que es mucho mejor prescindir de dichas drogas, salvo en casos extremos, y que resulta mucho mejor usar la tintura de valeriana (una cucharadita de las de café en medio vaso de agua, siempre por prescripción facultativa), los baños de brazos como el que hemos indicado anteriormente o las cataplasmas de arcilla frías o tibias sobre el corazón.

Sin embargo, no nos cansaremos de repetir que la acción de los medicamentos, cualesquiera que sean, sólo es calmante y paliativa de la crisis anginosa, y lo que realmente importa es adoptar una dieta y un género de vida como los que hemos aconsejado anteriormente, a los que deberá añadirse el evitar toda clase de esfuerzos y emociones —incluyendo la visión de películas de tipo violento—, practicar todas las mañanas al levantarse 15 minutos de gimnasia respiratoria, distribuir equitativamente el tiempo de trabajo y el de descanso (más vale pasarse en el descanso que en el trabajo), moderación en el uso de matrimonio y dormir ocho horas diarias, aparte de la siesta de mediodía.

También hay que tener en cuenta que, contra lo que todo el mundo supone, y tal como muestran las estadísticas, el temido infarto es apenas más frecuente en quienes padecen de angina de pecho que en quienes nunca han experimentado trastornos cardiacos.

Y para finalizar, es indispensable someterse regular y frecuentemente a una revisión médica, a fin de conocer en todo momento el estado y necesidades del organismo.

En caso de infarto de miocardio

Lo más urgente es solicitar una ambulancia o un taxi y trasladar al afectado a una clínica u hospital donde existan los medios adecuados para el tratamiento de urgencia; mientras, se procurará tranquilizarle, mantenerle inmóvil y protegerle del enfriamiento con cuantos medios se tengan a mano.

Luego hay que aliviar su intensísimo dolor y confusión mental mediante la administración de analgésicos, como la morfina, y de oxígeno, anticoagulantes y demás cuidados que el médico considere adecuados dado el estado general del paciente y la extensión de la zona del corazón afectada.

Normalmente será necesario un reposo absoluto para facilitar la reparación de la zona necrosada, el cual puede ser de cerca de un mes; luego podrá empezar a moverse, un poco más cada día, hasta que a los tres meses aproximadamente podrá considerarse restablecido y volver al trabajo, aunque con las debidas precauciones y sin abandonar el control médico, ya que la curación no será completa hasta transcurrido un lapso de tiempo que puede oscilar entre los seis meses y los dos años.

Durante la convalecencia pueden existir algunas molestias, como palpitaciones, dificultades respiratorias o cansancio; si bien hay que comunicárselo al médico por si pudiera existir algo de insuficiencia cardiaca, por lo general carecen de importancia, y muchas veces son más de carácter psíquico que físico.

Por lo demás, pueden seguirse todas las indicaciones y el régimen de vida que hemos recomendado para la angina de pecho.

En caso de ataque cerebral

Al igual que en el infarto de miocardio, lo más urgente es el traslado inmediato del paciente a una clínica u hospital para su tratamiento de urgencia. Mientras se espera al médico o a la ambulancia deben aflojarse todas aquellas prendas que opriman el cuerpo y procurar que la cabeza se mantenga elevada, pero evitando someter al enfermo a movimientos bruscos mientras se realizan estas operaciones.

Por lo demás, normalmente se impone la hospitalización para proceder a una reanimación general (aun cuando eso lo decidirá el médico a la vista de su estado), y una vez conseguida ésta hay que valorar los daños sufridos por el delicado tejido cerebral, lo que en su momento permitirá realizar una reeducación funcional que devuelva al paciente la máxima autonomía posible.

Dado que el cerebro es el que rige las funciones corporales, las consecuencias pueden ser tan variadas que su estudio desborda los propósitos de esta obra. De todos modos, en cada caso concreto el médico facilitará las instrucciones a seguir.

Lo que sí puede y debe hacerse una vez el paciente esté fuera de peligro es procurar que su dieta sea la correcta y que, dentro de lo posible, lo sean asimismo sus hábitos de vida, a fin de evitar una posible recaída, que podría ser fatal.

En caso de insuficiencia arterial periférica

En la etapa de la cojera, el tratamiento suele ser el general para la arteriosclerosis, con la práctica regular de la marcha al menos una o dos horas diarias y a un paso adaptado a las posibilidades de cada paciente, lo que facilita el desarrollo de la circulación colateral y, con ella, una mejoría que muchas veces es realmente espectacular.

Lo más importante es una higiene muy cuidadosa, procurar que no falte calor a los pies y prestar una especial atención a la integridad de la piel, vigilando la posible aparición de cualquier placa rosada —en cuyo caso hay que notificarlo inmediatamente al médico— y, por último, tener en cuenta que debido a la insuficiente circulación el más insignificante rasguño puede infectarse y ulcerarse, dando lugar a la temible gangrena.

No hay que olvidar que, afortunadamente, y salvo en los rarísimos casos de gangrena extensa, ya pasó la época en que esta afección era sinónimo de amputación, y que hoy sólo se llega a la misma por negligencia del enfermo.

12

Plantas medicinales

De cuanto llevamos dicho se desprende una conclusión muy evidente, y es la de que la salud sólo puede mantenerse incólume mediante una vida y alimentación sanas y naturales; cuando esto no se realiza, aparece un estado de toxemia general que a la larga incidirá en todo el organismo, y cuando sean las arterias las que se vean afectadas con la mayor gravedad, la arteriosclerosis y sus terribles secuelas serán el resultado natural de una vida antinatural.

Si no se cumplen los requisitos de una vida sana, nada puede hacerse para evitar tales daños, ya que, del mismo modo que la medicina alopática sólo puede aliviar los síntomas más penosos de la arteriosclerosis pero no puede curarla, tampoco la fitoterapia por sí sola puede hacer mucho más. En cambio, si se lleva a término cuanto llevamos dicho hasta ahora, las plantas medicinales supondrán un magnífico auxiliar del que sería absurdo prescindir.

Ahora bien, las más activas y conocidas de las plantas cuya aplicación afecta al sistema cardiovascular —a las que la propia medicina alopática debe recurrir para elaborar sus fármacos—, como la digital, el cornezuelo del centeno, el adonis vernal, el cardo mariano, la adelfa, la retama negra e incluso la convalaria, poseen unos principios activos tan enérgicos que sólo el médico puede usarlas y dosificarlas con la garantía de que el remedio no será peor que la enfermedad, y sería un suicidio querer hacerlo por nuestra cuenta.

Si al mismo tiempo tenemos en cuenta que de hecho sólo podemos actuar antes de que se presente el accidente clínico, o una vez ha pasado la fase crítica del mismo, es fácil comprender que será mejor acudir a aquellas plantas de acción más lenta pero que atacan a la verdadera raíz del problema, y cuya utilización no presenta el menor peligro si se siguen las instrucciones que recomendamos.

También debemos aclarar que existen algunas plantas, como el ajo, la cebolla y el limón, que a su valor como condimento y alimento unen su valor curativo, y de las que hemos incluido al ajo por predominar con mucho su valor curativo; sin embargo, tanto el limón como la cebolla deben incluirse también ampliamente en la dieta porque purifican la sangre y la fluidifican, lo que les convierte en preciosos agentes naturales contra la trombosis y el infarto.

Hechas estas aclaraciones, y antes de pasar a la descripción y modo de empleo de las diversas plantas recomendadas, vamos a reseñar algunas recetas de tisanas de acreditada eficacia que no dudamos serán de utilidad, dado que al tratarse de un tratamiento prolongado es conveniente ir cambiando de recetas para aliviar su monotonía.

1. Para la arteriosclerosis
    Muérdago .... 25 g
    Espino albar, flores .... 20 g
    Sauce blanco, corteza .... 20 g
    Arraclán, corteza .... 10 g
    Genciana, raíz .... 5 g

Todo ello bien triturado se pone a macerar durante ocho días en un litro de vino de Málaga, agitándolo suavemente a diario. Se filtra y se toman tres vasitos de licor al día.

2. Para la arteriosclerosis

Muérdago .... 40 g
Parietaria .... 20 g
Fumaria .... 30 g
Raíces de gatuña .... 20 g
Hojas de ruda .... 10 g

Se pone a calentar medio litro de agua, y cuando rompe a hervir se le añaden dos cucharadas de la mezcla, se tapa y se deja reposar cinco minutos; luego se filtra y queda lista para tomar.

Dos tazas diarias, una al despertar y otra al acostarse.

3. Para la arteriosclerosis

Muérdago .... 20 g
Milenrama .... 20 g
Cola de caballo .... 20 g
Bolsa de pastor .... 20 g
Diente de león .... 20 g

Se pone a calentar un cuarto de litro de agua, y cuando rompe a hervir se le añaden dos cucharaditas de las de café de la mezcla bien desmenuzada y mezclada, se tapa y se deja reposar cinco minutos; se filtra y queda lista para tomar.

Dos tazas diarias, una al despertar y otra al acostarse.

4. Para la apoplejía

Corteza de sauce blanco .... 10 g
Raíz de angélica .... 10 g
Muérdago .... 10 g

Todo bien desmenuzado se pone a hervir durante 20 minutos en un cuarto de litro de agua.

La dosis es de una cucharada cada dos horas.

5. Para la apoplejía

Primavera, hojas y flores .... 35 g
Convalaria, flores .... 5 g

Todo bien desmenuzado se pone a macerar en un litro de vino de

Málaga durante ocho días, agitándolo suavemente cada día. Se filtra y se toma una cucharada cada dos horas.

6. *Para la angina de pecho*

Hojas de vid roja .... 25 g
Bolsa de pastor .... 20 g
Muérdago .... 20 g
Raíces de diente de dragón .... 15 g
Corteza de agracejo .... 15 g
Sumidades de camedrio .... 10 g
Flores de espino albar .... 5 g
Flores de convalaria .... 5 g

Una vez bien desmenuzado, se ponen a hervir tres cucharadas soperas de la mezcla en medio litro de agua durante algunos minutos, se saca del fuego y se deja macerar seis u ocho horas.

Se tomará en dos o tres veces durante el día.

7. *Para la angina de pecho*

Flores de espino albar .... 40 g
Hojas de salvia .... 40 g
Alcohol de 70 grados .... 200 g

Se deja macerar todo durante una semana, removiendo suavemente cada día. Se filtra y se toman 15 gotas en un poco de agua, dos veces al día.

Por último, y antes de pasar a describir las diversas plantas, queremos hacer una advertencia. Tanto en nuestras recetas como en las que se facilitan en otros lugares, las cantidades que se recomiendan son siempre —a menos que se indique expresamente lo contrario— para personas adultas, es decir de 20 a 60 años de edad; hay que tener presente que la dosificación varía según las edades y según el grado de robustez de la persona.

Por consiguiente, de un modo muy general y dentro de la exactitud relativa que puede darse en estos casos en que todo es aproximativo, facilitamos a continuación un cuadro sinóptico de las dosis más convenientes según la edad, tomando como dosis completa la unidad.

De 20 a 60 años 1
Hasta un año 1/12
De uno a dos años 1/8
De dos a tres años 1/6
De tres a siete años 1/4
De siete a catorce 1/3
De catorce a veinte 1/2
De 60 años en adelante 1/8

Evidentemente, estas dosis no son absolutas —ya hemos dicho que también deben variar según el estado físico del paciente—, pero al menos pueden servir de guía; por otro lado, el sistema también puede ayudar a valorar con cierta aproximación dicho estado físico, y así dosificar siguiendo una proporción similar.

Otro punto que debe aclararse es que muchos de los lectores carecerán de balanzas de precisión para pesar cantidades pequeñas, por lo cual les resultará útil saber que la cantidad de hojas o flores secas trituradas que cabe en una cucharita de las de café pesa unos dos gramos, y en una cuchara sopera, unos cuatro gramos. La misma medida de raíces suele pesar el doble.

También debe tenerse en cuenta que una taza equivale a un cuarto de litro, por lo que si quieren prepararse las tisanas por tazas se deberá tomar una cuarta parte del peso de ingredientes indicado para un litro.

9. Abedul (*Betula alba*)

Abedul

De entre todos los árboles que pueblan los bosques del norte de España, especialmente en las riberas y lugares umbríos, destaca el abedul; esbelto, flexible y elegante, fácil de distinguir por la blancura de su corteza y por su altura, que llega fácilmente a los quince metros.

Del abedul, o *Betula alba*, se conocen más de cuarenta especies, todas ellas con las mismas propiedades, siendo las más conocidas la *B. pendula*, la *B. laciniata*, la *B. pubescens*, la *B. carpathica*, la *B. alpestris*, la *B. carpinifolia*, la *B. fructicosa*, la *B. glandulosa*, etc., así como infinidad de híbridos de las mismas.

En nuestro país la especie más abundante es la *B. pendula*, así llamada por la forma en que sus ramitas jóvenes penden como desmayadas, pero a la que también se denomina *B. verrucosa* por las innumerables verrugitas que convierten en ásperas al tacto sus últimas ramificaciones.

Antes de que broten las hojas ya nacen las flores, que son pequeñitas y verdosas, reunidas en característicos amentos colgantes, unos masculinos y otros femeninos. De estos últimos madurarán los frutos en verano, muy pequeños y con una sola semilla, que se dispersará por el aire gracias a sus alitas laterales.

Las hojas, astringentes y de sabor amargo, son de un verde brillante por encima y de un matiz más delicado por debajo, y están sostenidas por un robusto rabillo; son triangulares, puntiagudas y de bordes dentados, aunque algo redondeadas por la base.

Como curiosidad añadiremos que antiguamente se conocía al abedul por el nombre de «árbol de la sabiduría», clara alusión de nuestros abuelos a los contundentes argumentos que sus ramas proporcionaban a los maestros de escuela para conseguir de sus alumnos un mayor aprovechamiento de sus lecciones.

Virtudes

El abedul está considerado con justicia como uno de los productos forestales más preciosos, del que todo se aprovecha, tanto para la industria como desde el punto de vista curativo: hojas, yemas, savia, corteza, e incluso la madera, que en forma de carbón sirve de antiséptico.

Mas lo que para nosotros tiene un especial interés son las cualidades diuréticas de sus hojas, de gran utilidad en la arteriosclerosis renal y en los edemas de origen cardio-renal, así como por la rápida disminución de la colesterolemia que provoca.

Aconsejamos pues a todos los arterioscleróticos, o a quienes deseen prevenir dicho trastorno, que no dejen de tomar este diurético con cierta regularidad.

Preparaciones

La mejor que conocemos es la infusión alcalina original de Moreau, que también recomienda Leclerc y que se realiza como sigue:

Sobre 50 gramos de hojas de abedul se vierte un litro de agua hirviendo, y cuando la temperatura ha descendido a 40 °C se añade un gramo de bicarbonato sódico para asegurar la disolución de los principios resinosos. Se deja reposar durante 6 horas y se filtra.

Del líquido resultante se tomarán tres o cuatro tazas de las de café al día, alejadas de las comidas.

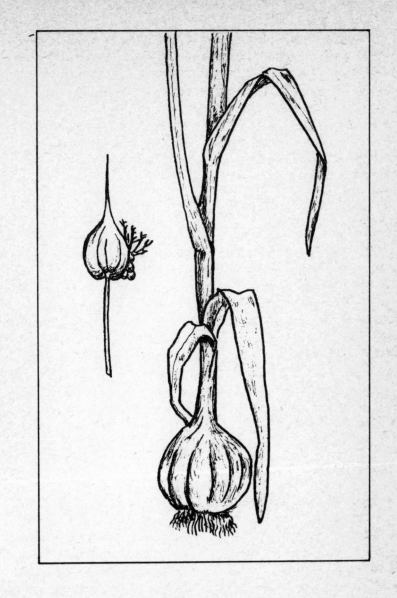

10. Ajo (*Allium sativum*)

Ajo

Se dice que el ajo es tan importante que sin él no hubieran podido construirse las pirámides. Quizás eso sea exagerar un poco la nota, pero lo que sí es cierto es que el ajo era parte indispensable en la comida de sus constructores.

Existen pocas plantas a las que se hayan atribuido tantas y tan excelentes cualidades, desde las indudablemente ciertas —como sus poderes hipotensores y desinfectantes— hasta curiosísimas recetas para curar la hidrofobia y las mordeduras de serpiente, pasando por aquella que recomienda comerlo junto con orégano para eliminar los piojos.

Sus cualidades mágicas no le van a la zaga; desde la *Odisea* en la que ya se habla del ajo para deshacer los encantamientos, hasta las actuales historias de terror, donde aparece como la mejor arma contra los vampiros.

En cuanto a su descripción, qué diremos que no sea ya ampliamente conocido de todos... La resumiremos en pocas palabras:

El ajo es un bulbo redondeado compuesto de numerosos gajos, llamados dientes; sus hojas son radicales, largas, alternas, comprimidas y sin nervios aparentes. Del centro de las hojas surge el tallo, rojizo y casi hueco, que crece hasta una altura de un par de palmos y en cuyo extremo se desparraman las flores, contenidas en una espata membranosa que se abre longitudinalmente.

Cuando va a florecer, el tallo se encorva y las flores, blanquecinas o rojizas, se mezclan con diminutos y numerosos bulbitos en el ramillete floral. El fruto serán unas pequeñas simientes, negras y casi redondas.

La parte que nos interesa es el bulbo, ampliamente usado y cuyo único defecto es su penetrante olor (los griegos lo llamaban «rosa fétida», y no dejaban entrar al templo a quienes lo hubiesen comido), que no hay manera de disimular. Teniendo en cuenta que su principal componente, el sulfuro de alilo, no sólo se elimina por la orina sino también por la piel y los pulmones, comprenderemos que resulta imposible evitar su comprometedor olor a pesar de todas las recetas que puedan aconsejarse.

Virtudes

El ajo es un admirable hipotensor, mediante el cual se logra descender la presión sanguínea sin complicaciones secundarias y con un efecto más duradero que en el resto de hipotensores conocidos; puede tomarse incluso en casos de hipotensión sin que represente el menor peligro, lo que es muy importante teniendo en cuenta su uso en arteriosclerosis.

Si a eso añadimos que mejora la elasticidad de las arterias gracias a su acción vasodilatadora, que se extiende desde las grandes arterias hasta los más pequeños capilares, y a sus efectos neutralizadores del colesterol, resulta obvio que nos hallamos ante un remedio excepcional tanto para la arteriosclerosis y sus consecuencias como para la hipertensión.

También posee notables propiedades bactericidas de carácter selectivo, ya que le permiten eliminar determinadas especies patógenas sin dañar la flora intestinal. Es asimismo una excelente ayuda en la expulsión de los gusanos intestinales, en especial los oxiuros, causantes del prurito anal de los niños, para lo cual basta con colocarles por la noche al acostarlos un diente de ajo bien mondado como si fuera un supositorio y por la mañana eliminarán todos los gusanos.

Constituye además un poderoso estimulante del organismo, especialmente indicado en los trastornos hepáticos y de algunas glándulas endocrinas, lo que además de reafirmar sus tradicionales cualidades como afrodisiaco lo convierte en un auxiliar en la lucha contra la diabetes.

Por último diremos que sus propiedades en el tratamiento de las afecciones de las vías respiratorias son excelentes, habiéndose usado con éxito en la tos ferina, e incluso en casos de gangrena pulmonar.

Preparaciones

El ajo puede tomarse de todas las formas imaginables, ya que a sus propiedades curativas hay que añadir las que posee como condimento, lo que facilita tomarlo como desayuno en forma de unas tostadas con ajo y aceite, o a base del popular ajoaceite (*all-i-oli*), mezclado con infinidad de comidas. Lo importante en el caso de la arteriosclerosis y la hipertensión es tomar dos o tres dientes de ajo diarios por lo menos.

De todas maneras, la forma más práctica y que cada día se extiende más por la comodidad que representa para aquellos que no resisten masticar el ajo es la tintura alcohólica. Veamos cómo se obtiene.

Tintura
Se toman 50 gramos de dientes de ajo a los que se haya quitado la piel y, una vez machacados en un mortero, se les incorporan 250 cc de alcohol y se dejan macerar en un frasco durante ocho días, removiéndolo suavemente todos los días. Transcurridos éstos, se cuela con un lienzo, se exprime bien el residuo y se filtran

los líquidos obtenidos. Resulta un líquido de color ambarino e intenso olor a ajo que debe guardarse bien tapado y en lugar fresco.

La dosis normal es de veinte a treinta gotas disueltas en un poco de agua antes de las comidas. Cuando se toman añadidas a alguna tisana, ésta debe estar más bien tibia.

11. Árnica (*Arnica montana*)

Árnica

En casa de nuestros abuelos podrían faltar muchas cosas, pero jamás la tintura de esta hermosa margarita dorada silvestre que se encuentra en los prados de alta montaña, aunque cada vez sea más escasa.

Se trata de una hierba vivaz, de cepa o rizoma corto y grueso que penetra sesgadamente en la tierra y del que surge el tallo, en cuya base nace una roseta de hojas recias y ásperas, de forma entre ovalada y lanceolada. Luego, por encima de esta roseta inicial, nacerán tan sólo uno o dos pares más de hojas, enfrentadas y más pequeñas que las basales.

El tallo no suele ramificarse y, a lo sumo, produce dos o tres ramitas cortas que, como el tallo principal, están rematadas por una gruesa cabezuela de alegre y vistosa flor radiada de un color amarillo anaranjado intenso.

Cuando llega a fructificar lo hace en unos frutitos de cuatro o cinco milímetros coronados por un vilano rubio. Y decimos cuando llega a fructificar porque su flor suele agusanarse a causa de las larvas de una mosca que al desarrollarse en su receptáculo, destruyendo las semillas, provoca el que esta hermosa planta escasee cada vez más, corriendo peligro de extinción si además de las flores se sigue arrancando también el rizoma, lo que es innecesario, ya que los principios activos son mucho más abundantes en la flor; debería conservarse el rizoma, el cual, por culpa de la mosca, se está convirtiendo en el único medio de reproducción del árnica.

En el dibujo que acompaña representamos el árnica de los Pirineos, recia, fuerte y velluda; en las costas del oeste y noroeste de la Península crece una variedad de árnica más elegante y esquelética, ya que tanto el tallo como las hojas son algo más largas y delgadas, e incluso las flores son más pequeñas y de color algo desvaído.

Virtudes

Antes de enumerar sus virtudes queremos hacer hincapié en que esta planta, a causa de su toxicidad, debe usarse con gran moderación y seguir al pie de la letra las instrucciones y dosis recomendadas, pecando más por prudentes que por liberales en su uso interno.

La tintura de árnica es el remedio universal para golpes y magulladuras; en aplicación externa reconstituye los tejidos y hace desaparecer, como ningún otro medicamento, los hematomas que acompañan a luxaciones, esguinces, golpes y contusiones.

El cocimiento de árnica es un magnífico cicatrizante aplicado en compresas sobre excoriaciones, cortaduras, derrames sanguíneos, úlceras y heridas de todas clases, e incluso ha sido recomendado en furúnculos y acné.

El polvo de árnica, mezclado a partes iguales con el de corteza de encina o de sauce blanco, es un excelente febrífugo, lo que le valió el nombre de «quina de los pobres».

En forma de infusión, se emplea para devolver las fuerzas y aumentar la energía en los casos de debilidad nerviosa y postración que suelen acompañar a graves caídas, choques, conmociones o emociones violentas. Esta misma infusión se usa también en los catarros pulmonares crónicos y sin fiebre, tan frecuentes en los ancianos.

Es eficaz contra las hemorragias de la retina y de otros órganos, y muy útil para evitar las hemorragias cerebrales y combatir sus consecuencias, si ya se han producido.

Posee un alto valor sedativo general, pero con una acción selectiva muy pronunciada sobre el sistema arterial y el corazón, siendo de rápido efecto en los ateromas arterioscleróticos e incluso en la deficiencia cardiaca. Mejora la circulación cerebral, descongestiona los órganos internos y vence sofocaciones, vértigos, cansancio y muchas otras molestias.

Preparaciones

Como lo que aquí nos interesa son sus aplicaciones en el tratamiento de la arteriosclerosis y los accidentes cerebrales, nos limitaremos a su preparación en forma de tintura alcohólica, que es la normalmente usada.

Tintura

Se prepara con 100 gramos de flores secas o 200 de flores frescas por cada litro de alcohol.

Se ponen a macerar las flores en el alcohol durante una semana, agitándolo suavemente cada día. Luego se cuela con un lienzo, se exprimen los residuos y se filtran los líquidos obtenidos.

De esta tintura pueden tomarse como máximo 25 gotas al despertar y al acostarse en un poco de agua, o agregadas a una tisana de otras plantas.

Por nuestra parte opinamos que su uso interno debe realizarse después de consultar con un naturólogo, que compruebe el estado general del enfermo.

12. Espino albar (*Crataegus monogyna*)

Espino albar

He aquí una planta que debe figurar en un lugar de honor en el herbolario familiar. Su uso, incluso a dosis elevadas o durante largo tiempo, sólo puede reportar beneficios a todos los corazones dolientes.

No importa cuál sea la afección de corazón o arterial que se padezca: exceso o defecto de presión, arteriosclerosis, angina de pecho, lo que sea, siempre producirá notables mejorías, e incluso muchos ataques de apoplejía pueden ser evitados alternando su uso con el del árnica.

Es un arbusto silvestre de hojas verde brillante, tronco rojizo y ramas espinosas, que crece en los torrentes y laderas de las montañas; también es plantado por el hombre en muchos lugares en forma de cercas espinosas de adorno y protección.

En realidad son varias las especies que se engloban bajo el mismo nombre, pero todas ellas tienen las mismas virtudes y se diferencian únicamente por sus hojas, desde las profundamente divididas en cinco o siete lóbulos de la *Crataegus monogyna* hasta las de la *Crataegus oxyacantha*, con sus tres o cinco lóbulos apenas insinuados, pero de nervios más arqueados.

Sus flores, de cinco pétalos, débiles y perfumadas, están reunidas por largos peciolos en pequeños ramilletes blancos con ligeras tonalidades rosadas.

El fruto tiene la forma de una pera pequeñita de color rojo, posee una sola semilla y su carne es de gusto soso y farináceo.

Virtudes

Casi todas sus partes son utilizables, desde la corteza de las ramas tiernas, que se recolecta en el mes de febrero, antes del completo despertar de la savia y que está dotada de propiedades febrífugas, hasta los frutos, que recogidos en el momento de su maduración y desecados rápidamente al horno sirven para preparar una tisana astringente muy útil para combatir la diarrea, disentería y flujos de todas clases.

Las hojas poseen virtudes análogas a las de los frutos, pero mucho más débiles, y a menudo se utilizan asociadas a las flores o a los frutos en muchas composiciones.

Las flores deben recolectarse en primavera, cuando están a punto de abrirse, y se desecan lo más rápidamente posible en un lugar aireado y a la sombra. Una vez secas, se guardan en frascos, pero sin apretarlas.

Son precisamente las flores las que más nos interesan por ser consideradas como un excelente tónico del corazón y del sistema circulatorio, aparte de regular la tensión arterial de tal forma que, tanto si se padece exceso como defecto de la presión, los resultados son siempre los mismos: llevarla a sus niveles normales. Si a ello añadimos su carencia de toxicidad y el no ser acumulativa, comprenderemos que muchos médicos la consideren superior a la digital y a toda clase de drogas empleadas contra la arteriosclerosis y la angina de pecho.

Además, las flores son sedantes y antiespasmódicas, lo que las hace útiles también en casos de insomnio y en los desequilibrios neurovegetativos de todas clases, incluida la falsa angina de pecho.

Preparaciones

La manera más sencilla consiste en la tisana, pero generalmente se la emplea asociada a otras plantas o en forma de tintura.

Tisana

Se emplea una cucharadita de las de café bien llena de flores por cada taza de agua.

Se pone el agua a calentar y cuando rompe a hervir se apaga el fuego y se echan las flores. Se tapa y se deja reposar durante quince minutos, se cuela y se bebe tibia o fría.

La dosis es de una taza en la comida y otra en la cena durante un mes; luego descansar diez días antes de reemprender el tratamiento. En casos de arteriosclerosis avanzada en que se tema una crisis de angina de pecho, puede aumentarse la dosis a tres tazas diarias.

Tintura

El Codex francés manda preparar la tintura con 200 gramos de flores y un litro de alcohol de 60 grados.

Se ponen a macerar las flores en el alcohol durante una semana, agitándolo suavemente cada día, y luego se cuela con un lienzo, se exprime bien el residuo, se juntan los líquidos obtenidos y se filtran.

De esta tintura se recomienda tomar diez gotas tres o cuatro veces al día durante tres semanas al mes para la hipertensión, y 40 o 50 gotas al acostarse como antiespasmódico e hipnótico.

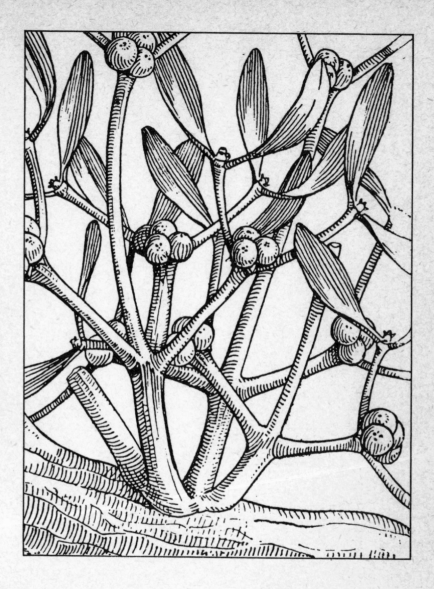

13. Muérdago (*Viscum album*)

Muérdago

El muérdago es una extraña planta parásita que parece desafiar las normas por las que se rige el mundo vegetal.

Se diría que ignora el ciclo normal de las estaciones y se guía por su propio ritmo, ya que permanece verde cuando todos los árboles están desnudos. Desde principios de verano las flores ya están en su sitio, pero no se abrirán hasta febrero, marzo o incluso abril del año siguiente; las flores masculinas y femeninas se hallan sobre plantas diferentes y, también en discordancia con el ciclo anual, formarán lentamente sus bayas, cuya perfección esférica las hace similares a perlas vegetales.

También se burla de las leyes de la gravedad, creciendo en cualquier dirección en forma de arbustos redondeados, fuertemente enraizados en la rama en la cual han hecho presa y de la que viven chupando sus fluidos vitales. Parece ignorar incluso las leyes de la fotosíntesis, permaneciendo verde durante todo el año y aun en la oscuridad.

Sus bayas, verdes al principio y del color de la uva albilla cuando maduran, contienen una única semilla que los pájaros, tras devorar golosos las bayas, sueltan al final de su digestión. La semilla se pega entonces a las ramas, primero gracias a una franja adhesiva de que dispone y luego clavando su raíz primaria hasta el fondo del leño, creciendo en ramitas de color amarillo verdoso, cilíndricas y articuladas en continuas horcaduras. De cada nudo surgen las hojas, por lo general de dos en dos y raramente de tres en tres. Estas hojas, del mismo color amarillo verdoso, son anchas y obtusas en su extremo y atenuadas en su base, lo que les proporciona el aspecto de unas orejas de liebre.

Puede desarrollarse sobre manzanos, perales, tilos, robles, pinos, chopos y otros árboles de hoja caediza que crecen en las zonas de media y alta montaña.

Tradicionalmente ha sido considerada como planta sagrada y de ella se cuentan maravillas. El muérdago más apreciado era el que crece sobre el roble. El motivo de tal preferencia no residía únicamente en su mayor rareza, sino también en el hecho de que el roble era asimismo un árbol sagrado, y si el muérdago crecía sobre él lo estimaban como a un enviado del cielo, y al árbol como elegido de Dios.

Virtudes

Se considera un remedio excelente contra la hipertensión y la arteriosclerosis por sus virtudes hipotensoras y vasodilatadoras, pero además es un tranquilizante del sistema nervioso.

Por lo tanto, además de usarse contra la hipertensión y la arteriosclerosis, se usa también contra las crisis nerviosas, las convulsiones, la epilepsia, las toses rebeldes (tos ferina, asma, etc.) y los espasmos; finalmente, su jugo es muy útil en la curación de toda clase de úlceras.

Preparaciones

Las ramas del muérdago se recolectan desde principios de invierno hasta marzo y se desecan a la sombra, separando antes todas las bayas. Una vez seco, se desmenuza y conserva en frascos de vidrio opaco.

Tradicionalmente se ha utilizado en infusiones, decocciones, vinos y muchas otras formas, pero actualmente se prefiere la tintura, más fácil de dosificar, o en mezcla con otras plantas para fórmulas compuestas.

Tintura

Se prepara macerando 50 gramos de muérdago seco y bien desmenuzado en 250 gramos de alcohol. Se deja en reposo durante una semana agitándolo diariamente y luego se filtra, quedando lista para su uso.

La dosis oscila entre diez y cuarenta gotas al día, en tomas de diez gotas cada vez en un poco de agua o en una tisana de otras plantas, como por ejemplo espino albar.

Tisana

La dosis es de una cucharadita de las de café llena de muérdago bien desmenuzado para una taza de agua.

Se pone a calentar el agua y cuando empieza a hervir se echa el muérdago, se tapa, se deja reposar unos diez minutos y se filtra. Puede tomarse tibia.

La dosis normal es de una o dos tazas al día.

Índice

Cúrese Usted mismo
por la medicina natural

LA HIPERTENSION

Si usted experimenta sensación de ahogo, palpitaciones, sofoco o si su tensión es superior a la normal, debe tomar medidas urgentes. De lo contrario, las enfermedades circulatorias, la arteriosclerosis o el inesperado infarto le sorprenderán con toda seguridad.

EL INSOMNIO

¿Quiere conocer las causas del insomnio? ¿Qué relación tiene la alimentación, la respiración o la vida sexual con el sueño? ¿Es posible conseguir un descanso sano y racional?

GRIPE Y CATARROS

Toda la gama de tratamientos, desde las dietas hasta los baños de sol, de luz, de aire, de vapor, así como los ejercicios físicos y todas las virtudes de las plantas medicinales.

LA ARTERIOS-CLEROSIS

La arteriosclerosis y sus terribles secuelas son el resultado natural de una vida antinatural.

EL ASMA

El asma es la manifestación externa de un estado general de toxicidad interna que altera el equilibrio de acidez y alcalinidad de la sangre.

EL HIGADO

En esta obra encontraremos todos los métodos naturales para la curación de cualquier clase de enfermedad hepática, desde pequeñas disfunciones hasta la hepatitis o la cirrosis, así como los ejercicios recomendados, las plantas medicinales y la correcta aplicación de los métodos de la hidroterapia.

REUMATISMO Y ARTRITIS

Todos los métodos de la medicina natural capaces de ofrecer la curación real y efectiva de las afecciones reumáticas, las dietas apropiadas y los alimentos prohibidos, la correcta aplicación de baños.

**Alivie sus dolores mediante
la digitopuntura**
Dr. Lutz Bernau

Venza al dolor sin pastillas.

Aprenda a suprimir fácilmente sus dolencias mediante la simple presión de un dedo.

Más de 100 dibujos explicativos.

Acupuntura
Georges Beau

Una obra imprescindible para conocer a fondo el arte de curar con agujas.

Una técnica milenaria cuya práctica se impone en todo el mundo.

Aprenderá todo lo necesario sobre la forma de las agujas, la técnica y la profundidad de los pinchazos, las aplicaciones y las contraindicaciones, y el número de sesiones precisas en cada caso.

TODO SOBRE EL MASAJE

Técnicas táctiles para relajar, calmar y estimular tu cuerpo.

Descubre los instintivos poderes de curación de tus propias manos para aliviar la tensión, desbloquear los nudos y devolver a cada parte de tu cuerpo una magnífica sensación de salud y bienestar.

Un nuevo enfoque integral del masaje:
- Masaje para parejas
- Automasaje
- Masaje para las enfermedades más corrientes
- Programa de masaje infantil
- Cómo aplicar masaje a los animales domésticos
- Dieta y nutrición
- ADEMÁS: Masaje rápido en 20 minutos

Uno de los libros más completos sobre el masaje terapéutico que jamás se hayan publicado.

martínez roca